新TOEIC® TEST
読解 特急

神崎正哉　TEX加藤　Daniel Warriner

TOEIC is a registered trademark of Educational Testing Service(ETS).
This publication is not endorsed or approved by ETS.

朝日新聞出版

編集協力 ─── 秋庭千恵

録音協力 ─── 英語教育協議会(ELEC)
　　　　　　Howard Colefield 🇺🇸
　　　　　　Emma Howard 🇬🇧

モニター協力 ─── ころりんさん、HUMMERさん、Tommyさん、ぽめ奥様、
　　　　　　hachiさん、researcher1980さん、白うさぎさん、
　　　　　　九条あおこさん、Oおじさん

もくじ

はじめに──**ポイント理解編** 5

第1部 ── **TOEIC® スピード獲得編** 23

Q1–3 ……… 24	Q4–6 ……… 30	Q7–9 ……… 36
Q10–12 ……… 42	Q13–15 ……… 48	Q16–18 ……… 54
Q19–21 ……… 60	Q22–24 ……… 66	Q25–27 ……… 72
Q28–30 ……… 78	Q31–33 ……… 84	Q34–36 ……… 90
Q37–39 ……… 96	Q40–42 ……… 102	Q43–45 ……… 108
Q46–48 ……… 114		

第2部 ── **実践！ Part 7 まるごと完走編** 123

Q1–2 ……… 124	Q3–4 ……… 130	Q5–6 ……… 136
Q7–9 ……… 142	Q10–12 ……… 148	Q13–15 ……… 154
Q16–19 ……… 162	Q20–23 ……… 170	Q24–28 ……… 180
Q29–33 ……… 192	Q34–38 ……… 208	Q39–43 ……… 224
Q44–48 ……… 238		

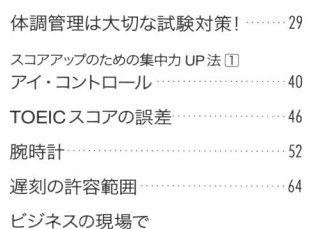

コラム

体調管理は大切な試験対策！ ……… 29

スコアアップのための集中力 UP 法 ①
アイ・コントロール ……… 40

TOEIC スコアの誤差 ……… 46

腕時計 ……… 52

遅刻の許容範囲 ……… 64

ビジネスの現場で
最も求められるスキルは読解力！ … 122

スコアアップのための集中力 UP 法 ②
消極的な言動を避ける ……… 128

パート7の文書をまねる ……… 190

ニッチな TOEIC 対策 ……… 206

スコアアップのための
体調管理 ……… 223

はじめに

ポイント理解編

本番で
最後まで
解ききるために

なぜ 読解トレーニングが必要なの？

TOEICのスコアアップには、「読解力」のトレーニングが不可欠ですよね。

はい、TOEICでは、200問中48問が読解問題です。全体の約4分の1を占めているので、読解問題で点を稼げるととても有利です。
　それから、読解トレーニングをすると、英語を処理するスピードが上がり、文法問題も速く解けるようになります。また、読解問題の文章を使って音のトレーニングをすればリスニング力アップにもつながります。

当たり前の話ですが、読んでわからない英文は聴いてもわかりません。読解力は単にパート7だけに必要な能力ではなく、TOEICの全パートで必要とされる基本スキルといえます。

そうですね。話をTOEICに限らなくとも、**ビジネスの現場で一番必要とされるのは、メールやレポートなどの英文をどれだけ速く、正確に読めるかという能力です。**英語を話したり書いたりする力も大切ですが、まずは情報を読んで理解することが基本です。
　ですから、読解トレーニングが英語の基礎力養成に欠かせません。読解に使った英文をネイティブが朗読した音声を使って、英語の音をマスターするトレーニングもプラスすれば、かなり有効な英語習得学習になります。

その上、この本の読解問題は実際のTOEICに非常に近いので、TOEICの頻出語彙や問題のパターンをマスターすることができます。だから、TOEICのスコアも効果的に上がりますよ。

😎 TOEIC頻出パターンを網羅した英文問題を使って効果的に読解力を鍛えることができますよね。

🧑 まさにその通りです。
　高い効果が出るトレーニングの一番のコツは、集中して取り組むこと、これにつきます。表紙に「1駅1題」とありますが、2分でも3分でも、自分で時間の区切りをつくって取り組んでほしい、というメッセージです。

😎 もちろん、駅間の長いローカル線や新幹線でも、とにかく1駅の間に1題解けばいい、という意味ではなく、「時間を区切って、スピードを意識して取り組もう」ということです。ちなみに、北海道には、駅間が約50分かかる路線もあるそうですから、1問1分で解けばパート7が全部解けてしまいます。

🧑 確かに（笑）！
　だらだら勉強が一番もったいない。**短時間でもけじめを持って、毎日継続すること**。1回解いて終わりではなくて、最低でも2回、3回繰り返すこと。これが、一番の近道です。

😎 ぜひ、この本を上手に活用して、効率的にTOEIC学習に取り組んでいただきたいですね。

最後まで 終わらない？

🧑 TOEICでは、前半の100問がリスニング、後半の100問がリーディングです。リーディング・セクションは、パート5〜7の3パートに分かれていて、最後のパート7が「読解問題」です。問題数は48問です。TEXさん、パート7は好きですか？

👓 ええ、好きですよ、落ち着いて解けますから。ほら、リスニングの問題だと、ちょっと集中力が切れて肝心なところを聞き逃したら、答えられないじゃないですか。その点、パート7は読む時間さえあればマイペースで解けます。
　それから、パート5・6の文法語彙問題には、知識がないとお手上げの問題が結構あるじゃないですか。

🧑 ええ、単語の意味や文法のルールを知っていれば解けるけど、知らなかったら解けない問題ですよね。リスニング・セクションの問題も1度聞き逃したらアウトですし。

👓 そうですよね。それに対して、パート7は答えのカギとなる情報が必ず問題文の中にあるので、時間さえあれば解けます。いかに必要な情報を本文の中から素早く正確に探し出すかが問われるので、その力さえいったん身につければ、このパートは確実に毎回得点源になります。

それでも、TOEIC受験者の中でパート7が苦手だという人もかなりいますよね。どうしてパート7が苦手な人が多いのでしょうか？

理由はいろいろあると思いますが、まとまった長さの英文を読むことに慣れていないというのが一番の原因ではないでしょうか。パート7は読解問題なので英文を読まなければいけません。読むのに慣れていないと長い英文を見ただけで圧倒されてしまうと思います。

　試験中も、ページをめくるたびに焦ってきて、ついには塗り絵（適当にマークすること）になってしまうのだと思います。「よーし、今日は最後BBBBBでいくぞ」なんて、試験前からそんなとこだけ準備万端ではいけません。

それからパート7は問題の量が多いので、途中で時間切れになってしまう人が圧倒的に多いと思います。試験のときは1問につき1分のペースで要領よくテキパキ解いていかないと最後まで終わりません。

　「制限時間内に終わらない」→「パート7は難しい」というように感じている人もかなりいるはずです。

　裏を返せば、**1問1分で解く解答リズムを身につければ、時間内に終わるようになり、パート7に対する苦手意識がなくなるはずです。そして苦手だったパート7が得点源に変わります。**

スピード力が鍵を握る

😀 パート7を時間内に最後まで終わらせて、得点源にするにはどうしたらいいと思います？

🧑 あたりまえですが、問題を速く正確に解けるようになること。そのためには読解力、リーディングスピード、解答スピードなどが影響するので、その力を鍛える必要があります。

　でも初心者だったら、まずは英語の基礎をしっかり固めることが不可欠ですね。

😀 英語の基礎とは？

🧑 中学3年間で習う文法と語彙は必須。あと、TOEICの頻出語句をある程度知っているとパート7が楽になります。まずはそのあたりから始めるべきですね。

😀 基礎固め、大事ですよね。先ほど「パート7は時間さえあれば解ける」と言いましたが、英語の基礎力がないといくら時間があっても解けません。基礎固めが終わったその後は？

🧑 2つやることがあります。

　ひとつはパート7の模擬問題をたくさん解いて、問題のパターンと解き方のコツをつかむこと。**TOEICの問題は、どのパートも問題のパターンが決まっているので、それに慣れておくと解きやすくなります。**

- パート7の問題にはどんなパターンがあるんですか。

- 問題のパターンを20〜21ページにまとめました。練習問題を始める前に、1度目を通しておくとよいでしょう。読んだだけではピンとこないかもしれませんが、ポイントを知っておくと問題を解くときパターンが見えてきます。

- もうひとつは、読解のスピードを上げる練習です。パート7は読解問題ですので、読解力が伸びればスコアも伸びます。パート7の練習問題を解いて、答えを見つける練習だけやっていても読解力はつきません。

- 具体的にはどういう練習をすればいいんですか。

- たくさん読むこと（多読）と速く読む練習（スピードリーディング）です。

　多読の練習には、英語学習者向けに語彙レベルを調整した Graded Readers（Gradeづけされた読み物）が適しています。Graded Readers は多読のために作られたもので、Oxford University Press、Cambridge University Press、Longman、Macmillan、IBCパブリッシングなどの出版社が出しています。やさしめの本を選び、楽しみながらたくさん読むのがポイント。

　スピードリーディングは、時間を測って自分の最高速度で読む練習です。Timed Readings Book 1–10 (Jamestown Publishers) や Reading for Speed and Fluency 1–4 (Compass Publishing) など、スピード

リーディング用の教材もあります。それぞれ語数が同じ短い文書がいくつも入っていて、読むのにかかった時間をグラフに記録して、リーディングスピードの伸びをチェックするという作りになっています。

　本書の問題にも、解答にかかった時間を記入する欄を用意してあります。時間を意識して、タイムプレッシャーの下で問題を解くことで、リーディングスピードと解答スピードが上がります。ぜひ活用してほしいですね。

- なるほど。たくさん読む練習と速く読む練習を両方やったら、パート7のスコアも伸びそうですね。でも、なかなか英語学習の時間が取れないっていう人もいますよね。

- そう、「英語学習は通勤電車の中のみ」という方もいらっしゃるでしょう。そういう人のためにこの本を作りました。てっとりばやくTOEICのスコアを上げたい人は、この本を繰り返しやることをお勧めします。**この本の練習問題は、実際のTOEICに則しているので、問題の頻出パターンがわかります。**文書の長さも本物のTOEICを真似して再現してあるので、時間を測ってやれば、問題を解くスピードやリズムも養えます。また、問題中にTOEICの頻出語がたくさん出てくるので、読解の練習をしながら、TOEICに必要な語彙を身につけることができます。

通勤電車でスピードUP

- この本、通勤電車で英語学習する人が使いやすいように新書サイズにしました。さすがにハードカバーを満員電車で読むのは大変ですからね。サイズ以外にレイアウトも工夫しましたよね。

- はい。コマ切れの時間でも学習しやすいように、問題を1セットやったあと、解答解説がすぐ後ろに来ています。

- 「いつでも中断できる」って、サラリーマンには意外にポイント高いんですよ。「眠くなってきたからあと3問解いたら寝よう」とか、「次の駅まで10分あるから3題解くぞ」とか、空き時間を有効活用できるのはとてもありがたいです。

- それから、いい問題がそろっています。

- 自分で言いますか！ まあ、われわれTOEICオタクは公開テストを毎回受けてますからね。過去1年間の公開テストに実際に出題された問題をすべてチェックして、最新の傾向を反映した本番に近い内容の問題をできるだけ盛り込むようにしたことは事実です。

- 問題数も全96問で実際のTOEICの2倍の分量になっています。

前半は文書＋質問3題が16セット。
後半は文書あたりの質問数を実際のTOEICに合わせ

ました。配分は以下の通りです。

本番と同じパート7の問題数

文書＋質問2×3セット
文書＋質問3×3セット
文書＋質問4×2セット
文書＋質問5×1セット
ダブルパッセージ文書＋質問5×4セット

　第2部の48問は、文書あたりの問題数が本番と同じなので、問題のバリエーションを知るのに役立ちます。本番では文書が短く問題数も少ないセットから、文書が長く問題数も多いセットまでさまざまなので。

　合わせて、「パート5・6を20分、シングルパッセージを30分、ダブルパッセージを20分」というように、**自分の中で時間の目安を決めておくことも大切です**。「今何時何分だから、ちょっとペースが遅いな」等、試験中に落ち着いてしっかり時間管理できるとスコアも上がるはずです。くれぐれも、気づいたらダブルパッセージに10分しか残っていない、なんてことにならないように。

本書の効果的な使い方

- これだけやればTOEICの問題に結構慣れますよね。この本の使い方の注意点は何かありますか。

- この本を使ってパート7の問題パターンをつかむことと読解力を伸ばすことの両方をやっていただきたいと思います。

- 両方をやる？ 具体的にはどうすればいいんですか。

- 問題を解く際、まず英文をしっかり読む。パート7の問題は文書を全部読まなくても解けますが、この本の問題を解くときは全部読むようにしてください。読む練習をしないと読めるようにならないので。文書を全部読んでから質問に移るようにする。

- なるほど。問題を先読みしてから本文を拾い読みするのではなく、できるだけ本文をしっかり読んで理解する練習をしましょう、ってことですね。

- そうです。かつ時間も意識して、なるべくスピードを上げて解くようにしてください。

- 全部読むんだけど、解くスピードは本番を意識して速くということですね。

- そうです。600点以上の人ははじめから、初心者の方も**最終的には1問1分を目標にしてもらいたい**。つまり、

1パッセージにつき3問のところは、3分。5問のところは5分を目標として解く。そのくらいのペースで解ければ本番でリーディングが時間内に終わります。

🤓 だらだら解かないことが大事ですね。**1問1分のスピード感を体感していただきたいです。**

😀 それで問題を解き終えたら、答え合わせをしてください。そして本文中または質問中に知らない語句があったら、意味を調べて覚えるようにしましょう。もし電車の中で辞書を引くのが難しいようであれば、知らない語句に印をつけておいて、あとで調べてください。

🤓 この本に出てきた知らない単語を覚えることで語彙力アップにもつながりますね。

😀 そう、TOEICは語彙力がスコアに直結しますから。先ほども言ったように、**この本に入っている英文はTOEIC頻出語彙の宝庫です。**
　あとは反復練習もやってもらいたい。

🤓 反復練習？

😀 1度解いた問題を解き直すことです。2周、3周、4周と繰り返すうちにだんだんすらすら読めるようになります。そして、問題もすらすら解けるようになります。知らない単語もなくなります。

🤓 なるほど。繰り返しが大切ってことですね。ところで、朝日新聞出版社のホームページで**この本の音声ファイ**

ルがダウンロードできるんですよね。って宣伝ばっかりですけど。

🧑 そうそう、http://publications.asahi.com/toeic/ にアクセスすると、英文の文書、質問、選択肢を読み上げた音声ファイル（MP3形式）が無料でダウンロードできるようになっています。パート7の本で音声ファイルがついてるのは画期的です。

👩 確かに音声が聴けるのっていいですよね。発音の確認もできるし。

🧑 うん、語学学習は音が大事ですからね。**リーディングも音と一緒にやった方がよく身につきます。**これを使って聴こえた通りに声に出して言う練習をしたら発音の練習にもなります。

👩 リスニングの練習にもなって、一石二鳥ですね。

🧑 声に出す練習をすると新しい単語がよく覚えられる、文の構造パターンを体で覚えることができるなど、英語の総合力を高めるのにも効果があります。

👩 音読は脳トレにもいいそうですから、一石五鳥くらいですか。でも通勤電車の中でやるとけっこうアブない人ですよね。

🧑 ちょっとそれは（笑）。電車の中ではMP3プレーヤーで聴くくらいでいいのでは？

😎 そろそろページも尽きてきたようですので最後に読者の皆さんにメッセージをお願いします。

🧑 パート7は急には伸びませんが、日々練習を積むことで少しずつできるようになっていきます。お仕事等、お忙しいことかと思いますが、この本を使って通勤時間をパート7トレーニングに活用してください。

　皆さんがTOEICの目標点を突破されることをお祈りします。

😎 読解力は普段のビジネスシーンでも最も必要とされるスキルですから、TOEICをうまく活用しましょう。ロジカルかつスピーディーに英文を読むスキルを磨いてください。この1冊だけで、魔法の杖を使ったみたいに英語の読解力が向上するというとうそになりますが、TOEIC的な問題に慣れ、1問1分で解くスピード感覚を養うには手ごろな1冊になっていると思います。

　本番当日に英語モードに頭を切り替える際のウオームアップにも最適です。ぜひカバンに忍ばせて試験会場に向かってください。

👽 この本が、読者の皆様の読解力向上とパート7のスコアアップのお役に立てればと心から願っています。

🧑😎 え、ダン、いつからそこにいたの？

パート7問題の出題パターン

1. 細かい情報を探す問題

質問中のキーワードを手がかりに文書を検索する。例えば、When does the store close on Friday? という質問なら、When (時に関する情報) と Friday がキーワード。本文を検索して該当情報を探す。

2. 大意の把握が求められる問題

What is the main topic of the article? For whom is this announcement intended? というタイプの問題では大意の把握が求められる。文章全体の内容を大まかに押さえて答えを選ぶ。

3. 目的を問う問題

文書の書かれた目的を問う問題 (例 What is the purpose of this letter?) は前半部分に答えとなる情報がある場合が多い。また、I am writing to.... や This letter is to.... などの to 不定詞の後に目的が示されている場合が多い。

4. 要望内容を問う問題

書き手が受け手に頼んでいる内容を問う問題 (例 What is Mr. Brown asked to do?) は、文書の後半に該当情報がある場合が多い。Please.... や I would like you to.... など、人に頼みごとをするときに使う表現に注目する。

5. 選択肢を本文に照らし合わせる問題

What is mentioned in the memorandum?
What is suggested about the position?
What can be inferred from the letter? というようなタイプの問題は、選択肢をひとつずつ文書に照らし合わせて、対応する情報があるか検証する。

6. NOTが入った問題

What is NOT indicated about…? What is NOT mentioned? What is NOT included in…? というタイプの問題は、文書の内容に合わないものが正解となる。選択肢をひとつずつ文書に照らし合わせて答えを選ぶ。

7. 同義語問題

The word "outstanding" in paragraph 2, line 3, is closest in meaning to…. というタイプの問題は、選択肢中、最も意味の近い語句を選ぶ。選択肢に同義語が複数挙げられている場合があるので、必ず文脈を考慮して解く。

8. ダブルパッセージ

パート7の最後の20問はダブルパッセージで、関連する2つの文書を読み、5つの質問に答えるというタイプの問題。2つの文書の関係を押さえると答えとなる情報を見つけやすくなる。両方の文書の情報を関連づけて解く問題が2割程度含まれる。

😊 なるほど。いろいろあるんですね。

🙂 はい。でも割合的には「1. 細かい情報を探す問題」が一番多いかな。「7. 同義語問題」は、毎回1〜4問（平均2問）程度。

😊 問題のタイプによって解きやすいとか解きにくいとかありますか。

🙂 「1. 細かい情報を探す問題」は解きやすいと思います。キーワード検索で解けるので。「7. 同義語問題」は単語の意味を知っていれば、楽に解けます。「5. 選択肢を本文に照らし合わせる問題」と「6. NOTが入った問題」は、選択肢のひとつひとつをチェックしなくてはいけないので、解くのに時間がかかります。もし本番で時間がなくなってきたらこのタイプの問題は捨てて、代わりに速く解ける問題を優先させた方がよいでしょう。

😊 あと何か問題を解くとき気をつけることはありますか。

🙂 言い換え表現です。本文中で使われた語句が質問や選択肢で違った形に言い換えられていることが多い。言い換え表現に慣れることもパート7では大切です。

😊 ありがとうございます。

第1部

TOEIC® スピード獲得編

1問60秒のスピードに乗り遅れるな！

Questions 1–3 refer to the following notice.

CHÂTEAU BLEU OPENED FOR PUBLIC

From the beginning of June until the end of August, Château Bleu will be open to the public. This is to commemorate 200 years since the birth of important French architect and sculptor Louis Gerard, who designed and built the château as a summer residence and used it over a ten-year period toward the end of his life. Visitors will have the rare opportunity to see 17 of the 24 rooms in their original Renaissance style as well as an exhibition dedicated to his life and work. The château grounds will also be open for visitors to stroll through colorful gardens still home to some of Gerard's most notable sculptures. The château is open from 10:00 A.M. until 4:00 P.M., and the grounds are open from 10:00 A.M. until 7:00 P.M., Tuesday through Saturday. Admission is €9.00 for adults and €6.00 for students.

1. For whom is this notice most likely intended?

   (A) Sculptors
   (B) Gardeners
   (C) Curators
   (D) Tourists

2. What are visitors NOT able to do at the château?

   (A) Walk in the gardens
   (B) Visit all of its rooms
   (C) See Louis Gerard's sculptures
   (D) Enter it on Thursdays

3. What can be inferred about the château?

   (A) It is not usually open to the public.
   (B) The government now owns the building.
   (C) Louis Gerard passed away before completing it.
   (D) Several paintings of Louis Gerard are on display there.

1. 正解 (D)

この文書は一般公開される château「大邸宅」の案内で、観光客向けの情報が与えられている。よって、対象は (D) Tourists といえる。

😀 château ってことは、フランスにあるのかな。

😎 そうですね。この邸宅を建てたルイス・ジェラールもフランスの建築家ですし。

😀 あ、ほんとだ、French architect and sculptor Louis Gerard (4〜5行目)って書いてあるね。

2. 正解 (B)

来訪者がこの邸宅でできないことを探す。7〜8行目の Visitors will have the rare opportunity to see 17 of the 24 rooms から、24部屋のうち、17部屋しか見学できないことがわかる。全部屋に入れるわけではないので、(B) が正解。

😎 24部屋のうち、7部屋がなぜ一般開放されないのが気になります。

😀 何か特別な部屋なのかな。お札が貼ってあったりしたら怖いよね。

3. 正解 (A)

　この邸宅に関して本文の内容に合うものを選ぶ。冒頭の From the beginning of June until the end of August, Château Bleu will be open to the public. から、一般公開されるのは期間限定であることがわかる。よって、(A) が正解。

- inferが入った問題は面倒な問題が多いですが、これは割とすんなり解けそうです。

- そうだね。出だしの部分が(A)に対応しているから、すぐ答えが決まる。

- 8行目の rare opportunity もヒントになりますね。ところで、最終文に出てくるユーロのマークって、面白い形ですよね。実際の試験に出たとき、私は何の通貨単位だかわかりませんでした。

- うん、知らないと「何これ？」って思うよね。ユーロのマークって、基本的に Europe の頭文字の E をデザインしたものだけど、真ん中に平行線が2本入ってるよね？これ、ユーロの安定性を表してるんだって。まあ、より正確に言うと「安定した通貨になりますように」という願いが込められているらしい。

1回目	月	日	2回目	月	日	3回目	月	日
正解数　　タイム　分　秒			正解数　　タイム　分　秒			正解数　　タイム　分　秒		

問題1〜3は次のお知らせに関するものです。

ブルー邸が一般公開

6月初めから8月末までの間、ブルー邸が一般公開されます。これは、著名なフランス人建築家で彫刻家のルイス・ジェラールの生誕200周年を記念するもので、彼はブルー邸を夏の間の住居として設計および建築し、人生最後の10年間利用しました。当時のままのルネッサンススタイルの24部屋のうち17部屋や、彼の人生と作品を紹介する展示を見ることができる貴重な機会です。邸宅の敷地も公開され、彼の最も有名な彫刻の数々が今でも残る色彩豊かな庭を散策することができます。邸宅は午前10時から午後4時、敷地は午前10時から午後7時まで、それぞれ火曜日から土曜日まで公開されます。入場料は大人9ユーロ、学生6ユーロです。

1. このお知らせは誰を対象にしていると思われますか。

    (A) 彫刻家
    (B) 庭師
    (C) 学芸員
    (D) 旅行者

2. 訪問客が邸宅でできないことは何ですか。

    (A) 庭を散歩する
    (B) 部屋を全部訪れる
    (C) ルイス・ジェラールの彫刻を見る
    (D) 木曜日に中に入る

3. 邸宅についてどんなことがわかりますか。

    (A) 通常は一般公開されていない。
    (B) 政府が今は建物を所有している。
    (C) ルイス・ジェラルドは、完成する前に他界した。
    (D) ルイス・ジェラルドの絵が何枚か展示されている。

 体調管理は大切な試験対策！

　TOEICは英語力を測定する試験ですが、当然、英語力以外に、試験当日の体調や集中力によってスコアに大きな影響が出ます。英語の試験を休みなく2時間受け続けるのは想像以上にハードです。試験中に寝不足で頭がぼーっとしたり、トイレに行きたくなったり、焦ってパニックになってしまうと、せっかくの実力を出し切れません。

　これはスポーツの世界で、大舞台で実力以上の結果を出せる選手と、実力が出し切れない選手がいるのと同じでしょう。私は、TOEIC本番で、自分の実力を出し切るために最も大切なことは、体調管理と集中力だと思います。

Questions 4–6 refer to the following e-mail.

To: Brick First Real Estate
From: Michelle Carter
Subject: Exeter Apartment
Date: Tuesday, March 17

I took a look at a few ads added to your Web site yesterday, and I'd like to inquire about apartments in the Exeter area. I'm particularly interested in the two-bedroom apartment at 32 Mellor Road. I am currently living in Sydney but will be moving to Adelaide in early May. The property in Exeter is close to the office I'll be working in, so its location would be ideal for me. I'm going to Adelaide March 25 to meet my new employer, and I was hoping you could show me the place the next morning. I hope it is still available then, but if not, I'd like information on other properties in that area or in Ethelton. Please let me know if seeing the apartment on Thursday is possible, and thank you for your time.

Michelle Carter

4. What can be inferred about Michelle Carter?

(A) She will visit Brick First Real Estate's office in Sydney.

(B) She is living in an apartment in Exeter.

(C) She has found a new job in Adelaide.

(D) She does not have any interest in properties in Ethelton.

5. When does Michelle Carter wish to visit Brick First Real Estate?

(A) March 16

(B) March 17

(C) March 25

(D) March 26

6. Where did Michelle Carter find the information about the apartment?

(A) A real estate magazine

(B) A listing in a newspaper

(C) An ad on the Internet

(D) A flier in Adelaide

4. 正解 (C)

　本文の内容と合う選択肢が正解となる。5～8行目の I am...will be moving to Adelaide in early May. The property in Exeter is close to the office I'll be working in から彼女が5月にアドレードに引っ越し、そこで働き始めることがわかる。また、9～10行目の I'm going to Adelaide March 25 to meet my new employer から、この仕事が新しい仕事であることがわかる。よって、(C) She has found a new job in Adelaide. が正解。

> このタイプの問題は選択肢ひとつひとつを本文に照らし合わせて、内容的に合うかどうかチェックしなきゃいけないから、時間がかかる。

> そうですね。それに infer の問題は、直接書かれていないことを本文の内容をもとに推測しなくてはいけないので、注意が必要です。

> 特にこの問題の場合、「アドレードに引っ越す」「その物件は私がこれから働くオフィスの近く」「新しい雇用主に会いにアドレードへ行く」という3つの情報を総合して、「アドレードで仕事を見つけた」ということを infer（推測）しなくていけないからね。難易度高いよ、これ。

1回目		月	日	2回目		月	日	3回目		月	日
正解数	タイム	分	秒	正解数	タイム	分	秒	正解数	タイム	分	秒

5. 正解 (D)

9〜11行目で I'm going to Adelaide March 25 to meet my new employer, and I was hoping you could show me the place the next morning. と述べ、3月25日の翌日の朝、物件を見たい旨を伝えている。よって、(D) が正解。

😀 March 25 の the next morning だから March 26 か。
😅 ややこしいね。

6. 正解 (C)

ある情報に対する問い合わせをするとき、その情報をどこで得たかをまず伝えるのが普通。このメールでも冒頭、I took a look at a few ads added to your Web site yesterday, and I'd like to inquire about apartments in the Exeter area. と、Web site で広告を見たことを述べている。これを言い換えた (C) An ad on the Internet が正解。

😀 ad って、advertisement「広告」の略ですよね?
😅 そう。ちなみにイギリス英語では advert という略語も使われる。
😀 我々世代だと、「アド」っていうと水森亜土さんなんですけど。読者は知らないだろうなあ。

問題4～6は次のメールに関するものです。

宛先：ブリック・ファースト不動産
送信者：ミシェル・カーター
件名：エクセターのアパート
日付：3月17日（火曜日）

御社のウェブサイトに昨日追加されたいくつかの広告を拝見し、エクセター地区のアパートについて問い合わせたく思います。特に、32メロー・ロードの寝室が2つあるアパートに興味があります。私は現在、シドニー在住ですが、5月初旬にアデレードに引っ越す予定です。エクセターの物件は、私が働く予定のオフィスに近く、場所が私にとって理想的です。私は、新しい雇用主に会うためアデレードに3月25日に行く予定なのですが、その物件を翌日の午前中に見せていただけないでしょうか。それまで物件に空きがあればいいのですが、もしなければ、エクセター地区の他の物件か、エセルトンにある物件の情報を希望します。木曜日にそのアパートを見せていただけるかどうかお知らせください。よろしくご検討ください。

ミシェル・カーター

4. ミシェル・カーターについてどんなことがわかりますか。

   (A) シドニーにあるブリック・ファースト不動産のオフィスを訪れる。
   (B) エクセターにあるアパートに住んでいる。
   (C) アデレードで新しい仕事を見つけた。
   (D) エセルトンの物件には興味がない。

5. ミシェル・カーターはブリック・ファースト不動産をいつ訪問したいと思っていますか。

   (A) 3月16日
   (B) 3月17日
   (C) 3月25日
   (D) 3月26日

6. ミシェル・カーターはどこでアパートの情報を見つけましたか。

   (A) 不動産雑誌
   (B) 新聞記事
   (C) インターネット広告
   (D) アデレードでのチラシ

Questions 7–9 refer to the following report.

Results from our customer satisfaction survey conducted at retail stores selling our 6DX Digi-Pact show an overall high level of satisfaction with this product. The survey was done over a six-month period beginning April this year, four months after the camera's release. Nearly 90% of those surveyed said they were satisfied with its price, usability and appearance, and more than 60% noted that the camera's autofocus function was its top feature. Picture quality also scored high on the survey, as did its performance for taking high-quality photographs in both bright and dim lighting. Only battery life received an average rating on the survey. From these results, and considering satisfaction leads to recommendation, we can expect to sell more of this product in its first year on the market than the number of 5DX model units sold since its release two years ago.

7. What is the report mainly about?

(A) Customer satisfaction

(B) Sales results

(C) Product specifications

(D) Market trends

8. What is NOT mentioned as an attractive feature of the camera?

(A) Design

(B) Focusing function

(C) Durability

(D) Photo quality

9. For how long was the survey conducted?

(A) Three months

(B) Four months

(C) Five months

(D) Six months

7. 正解 (A)

全体の内容を大まかに把握して答えを選ぶ。このレポートでは顧客満足度調査の結果を報告している。よって、(A) Customer satisfaction が正解。

😊 本文中に出ている語が、正解ではない選択肢で出てくるのは定番のひっかけですね。

😀 そうそう。だから慌てて解こうとすると間違える。

😊 sales の予測については述べているけど、Sales results については言っていない。product に関することは述べているけど、Product specifications の説明をするのが目的じゃない。market という語は出てくるけど、Market trends のことは言っていない。惑わされないように。

8. 正解 (C)

本文で魅力的な機能として挙げられていないものを選ぶ。(A) Design は9行目の appearance、(B) Focusing function は10行目の autofocus function、(D) Photo quality は11行目の Picture quality が対応しており、7～14行目で購入者がそれぞれの機能に満足していることが述べられている。(C) Durability は14行目の battery life が対応しているが、利用者の反応は avarage rating なので attractive feature ではない。

😀 さて、問題です。durability の派生語は？

😊 durable 形「耐久性のある」、duration 名「期間」、それと

during 前「〜の間」。

😀 さすが！ この辺も TOEIC に出るかも。

9. 正解 (D)

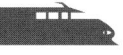

調査期間に関する情報を探す。4〜5行目の The survey was done over a six-month period から (D) Six months が正解。

😀 a six-month period って面白い表現ですよね。

😀 うん、six と month をハイフンでつないで、形容詞にしちゃってるね。

😀 この形だと month の後ろに複数形の s がつきません。4歳の男の子なら、a four-year-old boy ですね。

1回目		月	日	2回目		月	日	3回目		月	日
正解数	タイム	分	秒	正解数	タイム	分	秒	正解数	タイム	分	秒

問題7〜9は次のレポートに関するものです。

当社の6DX Digi-Pactを販売している小売店で行った顧客満足度調査の結果によると、この商品について全体的に高いレベルの満足度が見られます。この調査は、カメラの発売後4カ月後の今年4月から、6カ月間にわたって行われました。調査対象者の90％近くが、価格、使いやすさ、見た目に関し満足だと答え、60％以上が、カメラのオートフォーカス機能を一番満足度が高い機能だと記しています。画質も調査では高い評価を得ており、明るい所でも暗い所でも高画質の写真が撮れる性能も同様に高い評価を得ています。唯一、電池寿命だけが調査で平均という評価を受けました。これらの調査結果や、顧客満足が他人への推薦につながることを考えると、この商品の初年度の市場での販売台数は、2年前に発売された5DXの累計販売台数を超えると期待できます。

スコアアップのための集中力UP法 ①
アイ・コントロール

　集中力を高めるために私が実践していることをご紹介します。まずは、「アイ・コントロール」と呼ばれる集中法です。
　テニスの選手が、試合中にラケットのストリングスを直しているシーンを目にしたことがあるかと思いますが、あれは、単にストリングスのずれを直しているのではなく、集中力を高める意味合いもあるのです。

7. レポートは主に何についてですか。

   (A) 顧客満足
   (B) 販売結果
   (C) 製品仕様
   (D) 市場動向

8. このカメラについて魅力的な機能として述べられていないのは何ですか。

   (A) デザイン
   (B) フォーカス機能
   (C) 耐久性
   (D) 写真の質

9. 調査はどのくらいの期間行われましたか。

   (A) 3カ月間
   (B) 4カ月間
   (C) 5カ月間
   (D) 6カ月間

　一般的に、視線をあちらこちらに散らさず固定することは、集中力を UP させる効果があるとされています。
　私の場合、試験直前の最後の休憩時間が終わったら、視線を、机の上に置かれている筆記用具や受験票に集中させるか、目を閉じています。美しい女性やイケメンに目を奪われないようにしましょう。

Questions 10–12 refer to the following e-mail.

Dear Mr. Bradford:

We will be giving a workshop for those who will be posted in Brazil for the first time. Living in a foreign country can be quite challenging so having a well of information to draw from is important for your success and comfort overseas. We would like you to join the workshop, which will be rich with valuable information and held on January 31 from 13:00 to 17:00 in the meeting room on the second floor. During the workshop, many topics will be covered such as tips for learning Portuguese, information on Brazilian culture and etiquette, schooling for children, and strategies for making your life easier while you are away from home. Spouses are also welcome and encouraged to attend the workshop. If you are unable to attend, please contact Mr. Hudson in personnel so he can arrange an individual session.

Allyson Burwell

10. What is the purpose of the e-mail?

   (A) To provide information about a foreign culture

   (B) To encourage attendance for an instructive talk

   (C) To remind about an overseas travel policy

   (D) To report on a workshop that was conducted

11. The word "tips" in paragraph 1, line 10, is closest in meaning to

   (A) tops

   (B) presents

   (C) suggestions

   (D) advantages

12. What can be inferred about Mr. Bradford?

   (A) He has been responsible for a seminar.

   (B) He has been promoted recently.

   (C) He has attended a workshop with his wife.

   (D) He has never worked in Brazil before.

10. 正解 (B)

冒頭、We will be giving a workshop... と研修を行うことを伝え、その研修の説明をしている。よって、このメールの目的は、(B) To encourage attendance for an instructive talk といえる。

- 選択肢が難しいかなあ。
- provide、encourage、remind、reportなどの動詞がレベル高めですね。
- パート5で出そう。

11. 正解 (C)

第1段落10行目で tips は、many topics will be covered such as tips for learning Portuguese...という使われ方をしている。これは、「役に立つ助言」という意味を表し、(C) suggestions と一番近い。

- これもたくさんの意味がある単語ですよね。レストランのチップとか、野球の「foul tip (ファウルチップ)」とか。
- うん、あとは「尖端」とかね。the tip of iceberg で「氷山の一角」。同義語問題の場合、そういう単語が狙われやすいから、文意に合わない答えを選ばないように。ここでは、「こつ」「助言」の意味で使われている。
- 10行目って、数えるのが大変ですが、本番では5行目以内にある単語が出題されるケースが通常ですからご

安心を。

行数数えるのに時間取られたら意味ないよね。「paragraph 1」って言いつつ、段落がひとつしかないし、問題作成者にはしっかりしてもらいたい。

あの、誰に対して言ってるんですか…。

12. 正解 (D)

Mr. Bradford はこの手紙の受け手。冒頭、We will be giving a workshop for those who will be posted in Brazil for the first time. とあるので、このワークショップの案内を受け取る Mr. Bradford もブラジルに初めて駐在することがわかる。よって、(D) が正解。

post が動詞で使われています。

うん、「人を送る」という意味。受動態になっている。

will be posted in Brazil で「ブラジルに配属される」という意味ですね。

post のこの使い方は、なじみがなくて少し難しいと思いますが、これからも TOEIC に出そうなフレーズなので、これを機会に覚えてしまいましょう。

1回目		月	日	2回目		月	日	3回目		月	日
正解数	タイム	分	秒	正解数	タイム	分	秒	正解数	タイム	分	秒

問題10〜12は次のメールに関するものです。

ブラッドフォード様

初めてブラジルに配属される方に向けた研修を行います。外国に住むことは非常に大変なので、海外でうまく快適に過ごすためには、たくさんの情報の引き出しを持っておくことが大切です。1月31日の13時から17時まで、2階の会議室にてたくさんの有益な情報が詰まった研修を行うので、参加されますようお願いします。研修では、ポルトガル語を習うためのコツ、ブラジルの文化や行儀作法についての情報、子供の学校教育、国を離れた生活を快適するためのノウハウなど、たくさんの話題が取り上げられます。配偶者も歓迎いたしますので、研修にぜひともご参加ください。もし、参加できない場合は、人事のハドソンさんに連絡してください。個別の研修を手配します。

アリソン・バーウェル

TOEIC スコアの誤差

　TOEIC の結果は5点刻みの数字で示されます。「英語力」という抽象的なものを「スコア」というわかりやすい形で示してくれるところは TOEIC の魅力のひとつです。
　しかし英語力を数字に変換すること自体に無理があるので、TOEIC スコアにはどうしても誤差が生じてしまいます。ETS 発行の TOEIC Technical Manual によると、Standard Error of Measurement がリスニングとリーディングそれぞれ±25となっています。これは英語の実力が変わらない状態でテストを2回受けた場合、リスニングとリーディングのスコアが

10. メールの目的は何ですか。

(A) 外国文化についての情報を提供する
(B) 役に立つ講義への参加を促す
(C) 海外出張規定について再確認する
(D) 行われた研修について報告する

11. 第1段落10行目の tips に最も近い意味の語は

(A) tops 「最上部」
(B) presents 「贈り物」
(C) suggestions 「助言」
(D) advantages 「利点」

12. ブラッドフォードさんについてどんなことがわかりますか。

(A) セミナーの責任者だった。
(B) 最近昇進した。
(C) 奥さんとともに研修に参加した。
(D) ブラジルでの就労経験がない。

それぞれ±25の間に収まるということを意味しています（ただし「68％の確率で」という条件つき）。体重計にたとえると、体重が変わらないのに体重計に乗ったとき示される数字が変わる可能性があり、その「ブレ」の範囲が±25ということです。TOEIC の測定器としての精度はその程度なので、TOEIC スコアは英語力を厳密に示しているのではないことをお忘れなく。

　リスニングとリーディングの合計点の変化が50点以下の場合、その差は誤差である可能性もありますし、英語力の変化を忠実に表している可能性もあります。スコアが下がった場合は「誤差」、上がった場合は「実力」と捉えて自分のやる気アップにつなげることをお勧めします。

Questions 13–15 refer to the following advertisement.

Sales Manager Position at TekSelect

TekSelect Manufacturing, a Canadian-based company, is seeking a sales manager to join its dynamic team. The manager will be responsible for the Asian-Pacific region. This is a permanent position. Requirements include exceptional presentation skills, 3+ years previous management experience, proficiency in communication and writing, experience in the corporate environment as well as attention to detail and pride in one's work. The successful candidate will work at our Vancouver headquarters but must be willing to travel and relocate to one of our branch offices in Hong Kong, Korea, Singapore, or Thailand. Candidates must speak at least one Asian language, and experience in sales is preferred. Send your resume to hiring@tekselect.com with one reference pertinent to management engagement.

13. What is stated as a requirement of the job being advertised?

   (A) Familiarity with PC applications

   (B) Willingness to travel

   (C) Ability to speak three languages

   (D) Prior job experience in sales

14. What is the applicant required to submit?

   (A) A presentation

   (B) An e-mail address

   (C) A reference

   (D) A language certificate

15. In which country is the headquarters of TekSelect Manufacturing located?

   (A) Canada

   (B) Korea

   (C) Japan

   (D) The U.S.

13. 正解 (B)

この仕事の requirement「必要条件」は、5行目の Requirements include 以下に示されている。選択肢に該当する条件を探すと、12〜13行目の must be willing to travel が (B) に対応している。

- TOEIC定番の求人広告の問題だけど、応募者に求められている条件がたくさん書かれているから、探すのが大変。

- (D) は preferred で、「経験があればなお可」ですから、必要条件ではありません。

- そうだね。そういった細かい違いにも気をつける必要があるね。

14. 正解 (C)

応募者が送るように求められているものは、最後に書かれている。Send your resume to hiring@tekselect.com with one reference pertinent to management engagement. の reference「推薦状」が (C) に対応している。

- 推薦状って letter of reference とも言いますね。

- うん、あと recommendation や letter of recommendation でも同じ意味になる。

15. 正解 (A)

headquartersの所在地が問われている。1行目のTek-Select Manufacturing, a Canadian-based company...からカナダに本拠地を置く会社であることがわかる。また、11〜12行目のour Vancouver headquartersもヒントとなる。よって、(A)が正解。

- Canadian-basedが「カナダに本拠地がある」という意味であることを知っていれば難しくないですよね。
- そうだね。似た表現でbased in Canadaというのもある。これも同じ意味。
- ちなみにheadquartersは、単数形と複数形の形が同じになる珍しい名詞です。
- 単数形でもsがついているから、ちょっと変な感じがするときがある。Our headquarters is in Paris.のような使い方もするから。この場合、headquartersは単数。
- Our headquarters are in Paris.でもいいんですか。
- うん、それもあり。その場合は複数だね。

1回目	月	日	2回目	月	日	3回目	月	日
正解数 タイム 分 秒			正解数 タイム 分 秒			正解数 タイム 分 秒		

問題13〜15は次の広告に関するものです。

営業部長募集　テックセレクト社

カナダに拠点を置くテックセレクト製造では、活力に満ちたチームに加わってくださる営業部長を募集中です。担当は、アジア太平洋地域となります。この募集は正社員の職で、応募条件は、高いプレゼン能力、3年以上のマネジメント経験、コミュニケーションと文章技術に優れていること、会社組織での勤務経験、細部へのこだわりとプロとしての誇りを持っていることです。採用者は、バンクーバー本社勤務となりますが、香港、韓国、シンガポール、タイにある支社のどこかへの出張や転勤をいとわないことが求められます。応募者は、アジアの言語を最低ひとつは話せることが条件で、セールス経験がある方を優遇します。履歴書に、マネジメント経験に関する推薦状を1通添え、hiring@tekselect.com宛てに送付してください。

腕時計

　リーディングセクションは時間管理の成否がスコアを大きく左右します。そして、時間管理には時計が必要です。TOEIC受験の際は腕時計を忘れずに。
　TOEIC運営委員会の公式ホームページでは、以下のように明示されています。

- 教室内には時計を設置していませんので必ず腕時計をお持ちください。
- お忘れになっても試験中に時刻のアナウンスはいたしません。
- 時報・アラームの設定は解除し、音が鳴らないようにしてください。
- 腕時計以外のものを、時計として使用することを禁止します（携帯電話・置き時計・ストップウオッチなど）。

13. 募集中の職で必要条件とされているのはどれですか。

　　(A) PCアプリケーションについての知識
　　(B) 自ら進んで出張する意思
　　(C) 3カ国語を話す能力
　　(D) セールスの経験

14. 応募者が提出するよう求められているのは何ですか。

　　(A) プレゼンテーション
　　(B) メールアドレス
　　(C) 推薦状
　　(D) 語学に関する証明書

15. テックセレクト製造の本社はどの国にありますか。

　　(A) カナダ
　　(B) 韓国
　　(C) 日本
　　(D) アメリカ

　場所によって、時計が壁にかかっている教室もあるんですが、自分の試験教室に時計が設置されているかどうかは実際に行ってみないとわからないので、あてにしないほうがいいでしょう。それから、腕時計の電池切れにはくれぐれもご注意ください。私も1度、試験当日の朝、腕時計が電池切れで止まっていることに気づき、代わりにキッチンタイマーを持っていったことがあります。厳密に言うとキッチンタイマーは使用が認められていませんが、幸い試験官の方が気づかなかった(または気づかぬふりをしてくれた?)ので、受験に支障はありませんでした。
　噂によると、置き時計の背面にテニスのリストバンドをガムテープで貼りつけ、「これはおれの腕時計だ。ほら、見てみろ。腕につけられるだろう?」と言い張って、試験官を困らせたつわものもいたそうです。

Questions 16–18 refer to the following e-mail.

To: Jake Durham
From: Mandy Verucci
Subject: New Monitors
Date: November 5

Dear Mr. Durham:

We need eight new monitors for the security room. Ted Jones from security told me that two of the four we are currently using have been malfunctioning over the last two weeks, and one of them switches off every hour or so. The other two still work but are old and will likely have their own problems before long. Also, considering last month's installment of extra security cameras in the parking lot and inventory room, we need additional monitors to better cover the scope of our surveillance. Mike Lacey suggested we go with Ovex monitors. According to him, they are handier than the type we use now and come with a number of functions designed specifically for security purposes. He used the Ovex 42-X monitor in a previous job and thinks it is the ideal model for us. They cost 620 dollars apiece, so I need your signature on the purchase request form I faxed to you earlier this week. If you would sign it before noon tomorrow, I would appreciate it, as I need to place the order as soon as possible.

Best Regards,
Mandy Verucci

16. What is the purpose of the e-mail?

    (A) To promote a product

    (B) To warn security

    (C) To request approval

    (D) To complain about facilities

17. Who will order the Ovex 42-X monitors?

    (A) Jake Durham

    (B) Mandy Verucci

    (C) Mike Lacey

    (D) Ted Jones

18. What is mentioned in the e-mail?

    (A) Two of the four monitors turn off almost every hour.

    (B) Mike Lacey used the Ovex 42-X in his former job.

    (C) Some monitors were installed in the parking lot in October.

    (D) Mandy Verucci needs new monitors by the end of tomorrow.

16. 正解 (C)

冒頭、We need eight new monitors for the security room. と新しいモニターが必要であることを伝え、その理由と購入予定の機種の説明をし、I need your signature on the purchase request form と購入申請を承認する署名を求めている。よって、この文書の目的は (C) To request approval といえる。

- 文書の目的は、前半で述べられることが多いけど、このメールは違うね。
- 最後の部分に文章の目的が書かれているパターンの文章ですね。
- うん、最後まで読まないと目的がはっきりわからないと言うか。だから難しいかもしれない。

17. 正解 (B)

order がキーワード。最後の1文で I need to place the order as soon as possible. と述べていることから、このメールの書き手の Mandy Verucci が注文を出すことがわかる。よって、(B) が正解。

- 質問の order the Ovex 42-X monitors と本文の place the order が対応していることを見抜く必要がありますね。
- そうだね、メールの書き手と受け手の関係や、全体の

流れを把握するという基本ができていないと、place the order と言われても、the Ovex 42-X monitors の注文だとわからないかもしれない。

18. 正解 (B)

本文の内容と一致する選択肢を選ぶ。11〜16行目で Mike Lacey suggested we go with Ovex monitors.... He used the Ovex 42-X monitor in a previous job と言っているので、(B) Mike Lacey used the Ovex 42-X in his former job. が正解。

- 選択肢ひとつひとつを本文に照らし合わせて解く問題。

- a previous job が his former job に言い換えられている程度で、ほとんどそのままの形で出ているので答えが決めやすいのではないでしょうか。

- そうだね、(C) Some monitors were installed in the parking lot in October. はきわどいけど。

- これ、monitors じゃなくて cameras だったら正解になりますよね。「駐車場にも追加で監視カメラを設置したので、モニターを増やす必要がある」という話の流れをしっかり理解しないと引っかかってしまうかもしれません。

1回目	月	日	2回目	月	日	3回目	月	日
正解数 タイム 分 秒			正解数 タイム 分 秒			正解数 タイム 分 秒		

問題16〜18は次のメールに関するものです。

宛先：ジェイク・ダーハム
差出人：マンディ・ベルッチ
件名：新しいモニター
日付：11月5日

ダーハム様

警備室に新しいモニターが8台必要です。警備のテッド・ジョーンズに聞いたところ、今使っている4台のモニターのうち2台がここ2週間正常に機能せず、そのうちの1台はほぼ1時間おきに消えるとのことです。他の2台は今は動いていますが、古いので近いうち問題が発生しそうです。また、先月、駐車場と倉庫に監視カメラを追加で設置したことを考えると、監視範囲を広げるため、追加でモニターが必要です。マイク・レーシーが言うには、Ovexモニターがお薦めだそうです。彼によると、われわれが今使っているものよりも使いやすく、警備専用の機能がたくさんついているそうです。マイクは、前職でOvex 42-Xモニターを使っていて、われわれには最適なモデルだと考えています。1台620ドルするので、今週初めにFAXでお送りした購入リクエストフォームにあなたのサインが必要です。できるだけ早く発注する必要があるので、明日の正午までにサインしていただければありがたいです。

敬具
マンディ・ベルッチ

16. メールの目的は何ですか。

    (A) 商品の宣伝をする
    (B) 安全に関する警告を出す
    (C) 承認の依頼をする
    (D) 設備についての不満を述べる

17. Ovex 42-X モニターを注文するのは誰ですか。

    (A) ジェイク・ダーハム
    (B) マンディ・ベルッチ
    (C) マイク・レーシー
    (D) テッド・ジョーンズ

18. メールでは何が述べられていますか。

    (A) 4台のうち2台のモニターがほぼ1時間おきに消える。
    (B) マイク・レーシーは前職で Ovex 42-X を使っていた。
    (C) 10月に駐車場にモニターが数台設置された。
    (D) マンディ・ベルッチは明日中に新しいモニターが必要である。

Questions 19–21 refer to the following notice.

To all employees:

As was announced in November, our pay period will change from this month. Until the end of last year, payday was the last Friday of the month. From this month, you will be paid on the second and fourth Fridays of the month. Because of this change, the amount per paycheck will be less, but your monthly and yearly income will not be affected. Payslips will be available each payday and can be picked up as usual from the payroll department. Remember to make sure your work calendar is filled in on a weekly basis and includes any overtime hours or absence from work. In case of absence, work schedules can be filled in and submitted online in the same way as before. If you have any questions regarding these changes, please speak with Mr. Orson in payroll.

19. For whom is this notice most likely intended?

(A) Company employees
(B) Professional accountants
(C) Mr. Orson
(D) Business clients

20. What is the purpose of the notice?

(A) To notify about changes in the payroll system
(B) To publicize new services for clients
(C) To explain the up-to-date accounting system
(D) To encourage attendance at upcoming workshops

21. What is indicated in the notice?

(A) Payslips will only be available at the end of the month.
(B) An announcement was already made in December.
(C) Work schedules are no longer available online.
(D) Employees will receive less money per paycheck.

19. 正解 (A)

文書の概要をつかみ、誰を対象としているか予想する。給与支払日の変更に関するお知らせをしているので、対象は従業員であることがわかる。よって、(A) が正解。

- この問題は、概要がわかれば難しくないですよね。
- うん、結構やさしめかな。「誰に向けて書かれた文書か？」というタイプの問題は大概易しいよ。

20. 正解 (A)

この文書のメイントピックは給与支払日の変更で、それを従業員に伝えるのが目的であるといえる。よって、(A) が正解。

- この問題もひとつ前の問題と同じように概要がつかめれば解けるね。notify「知らせる」とか難しめの語句が使われていたり、pay period が payroll system に言い換えられたりしているけど、それほど難しくはないんじゃない？
- そうですね。でも、選択肢で使われている語彙のレベルが高いと感じました。
- そうだね。publicize、encourage、attendance、upcoming あたりはパート5・6でも使われそう。覚えておいた方がいいね。

21. 正解 (D)

本文の内容と一致するものを選ぶ。6〜7行目の the amount per paycheck will be less, から、1回の受取額が減ることがわかる。これは (D) のように言い換えることができる。

🧑‍🦱 これは焦点が絞れない問題なので、解くのに時間がかかりますね。

👨 うん。前の2問がやさしかったから、最後難しめなのが来てバランスがいい。

🧑‍🦱 中上級者をふるいにかける問題ですよね。こういう問題をしっかり正解できるかどうかでスコアに差が出ます。

1回目	月	日	2回目	月	日	3回目	月	日
正解数	タイム 分 秒		正解数	タイム 分 秒		正解数	タイム 分 秒	

問題19〜21は次の告知に関するものです。

従業員各位

11月に発表した通り、今月から給与の支払期間が変更になります。昨年末までは、給与支払日は月の最終金曜日でした。今月からは、月の第2・4金曜日に支払われます。この変更に伴い、1回あたりの給与支払額は減りますが、月額と年収には影響ありません。給与明細は、それぞれの給与支払日ごとに発行され、通常通り給与課で受け取り可能です。各自の勤務表が週単位で記入され、すべての残業や欠勤が含まれていることを忘れないようにご確認ください。欠勤の場合、勤務スケジュールの記入や提出は、これまで通りのやり方でオンライン上で可能です。これらの変更に関してご質問のある方は、給与課のオーソンさんに尋ねてください。

遅刻の許容範囲

TOEIC運営委員会の公式ホームページでは、TOEIC試験当日の受付時間は11:30〜12:20となっており、「12:20以降の入場はお断りします」という注意書きが添えられています。しかし、実際には少しくらい遅れても大丈夫です。「最寄り駅に着いたらもう12時20分だったので、入れてもらえないと思ってそのまま帰った」という声も聞きますが、そのような場合でもあきらめないでとにかく急いで会場まで行ってください。

私自身、大概会場に到着するのは12時20分前後です。20分を過ぎたことも何度もあります。私の経験から言って、12時30分までに到着すれば、普通に入れてくれます。12時30分を過ぎると、遅刻者専用部屋に通されるようです。そこでは、解答用紙A面（生年月日、学歴、職業などに関す

19. この告知は誰に向けてのものですか。

(A) 会社の社員
(B) プロの会計士
(C) オーソンさん
(D) ビジネス顧客

20. この告知の目的は何ですか。

(A) 給与システムの変更について知らせる。
(B) 顧客へ新しいサービスの宣伝をする。
(C) 最新の経理システムについて説明する。
(D) 近々行われる研修への参加を促す。

21. この告知から何がわかりますか。

(A) 給与明細は月末にしか入手できない。
(B) 12月にすでに発表があった。
(C) 勤務スケジュールはオンライン上では見られなくなった。
(D) 従業員は1回当たりの給与支払いで受け取る額が減る。

る事項)の記入は試験後に行います。
　では、いったい最大何分まで遅刻が許されるのでしょうか。私は1度、12時40分過ぎに到着した受験者を目撃したことがあります。解答用紙A面記入後の休憩時間に私はいつも外に出るのですが、12時40分過ぎ、受験者とおぼしき方が係員の人に「急いでください」とせかされながら、走って会場に入っていくのを見たことがあります。おそらく受験できたと思います。
　そうはいっても、TOEIC運営委員会は、「12:20以降の入場はお断りします」と明示しているので、12時20分過ぎに到着して受験を断られることもあるかもしれません。ですから、できるだけ受付時間内に着くようにしてください。

Questions 22–24 refer to the following letter.

～ GREEN LEAF ～
AGRICULTURAL SUPPLIES

April 25

Ms. Eva Leone
2275 Jackson Drive
Philadelphia, PA 19122

Dear Eva Leone:

We are very sorry about the delay in delivering your Green Leaf equipment, especially because you paid the extra 35-dollar express delivery fee on top of the normal shipping charge of 15 dollars. After receiving your letter, I called the delivery company and asked that they look into the matter. I learned that several packages were held up en route through Chicago Westport Airport. Apparently, the container in which your package was being delivered contained other parcels that were carrying contraband. The entire container was held up at customs for a week of thorough inspection. We would like to guarantee that this never happens again, though such matters, as you can imagine, are out of our hands. Nevertheless, you should have been notified immediately about the delay, and for that reason we will refund the extra fee in full. As a token of our good faith, we would like to offer you a

50-dollar discount voucher you can use on a future purchase. Thank you for your continued patronage.

Brandon Hoff

Brandon Hoff
Green Leaf Agricultural Supplies

---

22. What did Brandon Hoff do after Eva Leone contacted him?

 (A) Sent her a new package

 (B) Called the airport in Chicago

 (C) Requested a product number

 (D) Contacted a delivery company

23. How much of a discount will Eva Leone get on her next purchase?

 (A) 15 dollars

 (B) 35 dollars

 (C) 50 dollars

 (D) 85 dollars

24. What caused the delay?

 (A) Severe weather in Chicago

 (B) Incorrect information on the invoice

 (C) An unexpected inspection at customs

 (D) A careless oversight by the supplier

22. 正解 (D)

Brandon Hoff はこの手紙の書き手で、Eva Leone は受け手。After Eva Leone contacted him がキーワードになる、5〜6行目に After receiving your letter, I called the delivery company and asked that they look into the matter. とあるので、(D) Contacted a delivery company が正解。

😀 手紙では書き手と受け手をチェックするのが定石です。

😏 本文中の called が選択肢では Contacted に言い換えられていますが、それほど難しくはないと思います。本番でも確実に正解したいタイプの問題です。

😀 あと、不正解の選択肢に本文中に出てきた語句がちりばめられているのでひっかからないように注意。

23. 正解 (C)

discount がキーワード。最後から2つ目の文章に we would like to offer you a 50-dollar discount voucher you can use on a future purchase. とあるので、(C) 50 dollars が正解。

😏 discount を手がかりに検索すれば、答えが見つけやすいですね。

😀 そう、15 dollars や 35 dollars というのも出てくるけど、discount の金額じゃないから。

😀 15 dollarsは送料で、35 dollarsは早く送ってもらうための追加料金です。

😎 通常の送料の倍以上追加で払って遅れたらそりゃ怒るよね。

24. 正解 (C)

配送が遅れている理由は、8～12行目で Apparently, the container in which your package was being delivered contained other parcels that were carrying contraband. The entire container was held up at customs for a week of thorough inspection. と説明している。よって、(C)が正解。

😎 contrabandって難しいね。はじめて見た。

😀 contra- が against、-band が ban という意味で、against the ban、すなわち「禁輸に反するもの＝密輸品」という意味になります。

😎 そうなんだ。そうやって語源に絡めると覚えやすいね。たまにこういう難しい単語が使われることがあるけど、意味がわからなくても問題は解けるから、焦らないように。

1回目	月	日	2回目	月	日	3回目	月	日
正解数　　タイム　　分　　秒			正解数　　タイム　　分　　秒			正解数　　タイム　　分　　秒		

問題22〜24は次の手紙に関するものです。

4月25日

エバ・レオーネ様
2275 ジャクソン・ドライブ
フィラデルフィア ペンシルベニア州 19122

エバ・レオーネ様

グリーン・リーフ社の道具の配送が遅れましたことお詫び申し上げます。特に、通常配送料の15ドルに加え、速達料金として追加で35ドルをお支払いいただいたにもかかわらず、このようなことになり誠に申し訳ございません。お手紙を受け取って、配送会社に電話をし、原因を調べるよう依頼をしたところ、シカゴ・ウエストポート空港経由の荷物のいくつかが途中で足止めされていたことがわかりました。レオーネ様のお荷物が入っていたのと同じコンテナに、密輸品の小荷物がいくつか混載されていたようで、コンテナごと綿密な検査を行うため税関で1週間止められてしまっていました。こうした事態は、おわかりの通り、我々の手に負えないことではありますが、このような遅配が二度と起こらないようお約束します。とは言え、配送遅れについてはもっと早くご連絡すべきでした。余分にお支払いされた金額は全額返金させていただきます。また、われわれの誠意の証しとして、次回以降の購入時にお使いになれる50ドルの割引券を提供させていただきます。今後ともご愛顧のほど、お願い申し上げます。

ブランドン・ホフ
グリーン・リーフ・アグリカルチャー・サプライズ

22. エバ・レオーネからの連絡後、ブランドン・ホフは何をしましたか。

   (A) 新しい荷物を送った
   (B) シカゴの空港に電話した
   (C) 製品番号を要求した
   (D) 配送会社に連絡した

23. エバ・レオーネは次の購入時にいくら割引になりますか。

   (A) 15ドル
   (B) 35ドル
   (C) 50ドル
   (D) 85ドル

24. 配送遅れの原因は何ですか。

   (A) シカゴでの悪天候
   (B) 請求書上の誤った情報
   (C) 税関での予期せぬ検査
   (D) サプライヤーの不注意な見落とし

Questions 25–27 refer to the following review.

INTERACTIONS: A MARV GABLE MASTERPIECE

What can I say about Marv Gable's new book *Interactions*? In short, buy it! Merely borrowing it or browsing through it is not enough, as you'll want to read it more than once.

* * *

Gable's newest release is a compelling and reader-friendly surprise that draws energy to the recently dull and colorless self-help genre. Aiming to reach a wider range of readers, the author examines relationships inside and outside the office in his new book. With an insight and sense of humor that are highly profound, Gable succeeds in identifying commonalities among relationships between family members and friends as well as superiors and subordinates. What makes some relationships succeed and others fail? Gable again endeavors to answer this question as he did in *The Individual's Tribe*. And pursuing answers to this question, he believes, is something that all people should do to strengthen relationships from personal to professional.

* * *

If you are in any sort of relationship, have had one, or plan on having one, then *Interactions* is a must-read.

25. How does the reviewer describe the book *Interactions*?

(A) It is popular.

(B) It is professional.

(C) It is short.

(D) It is funny.

26. The word "dull" in paragraph 2, line 2, is closest in meaning to

(A) blunt

(B) tiresome

(C) meticulous

(D) uninteresting

27. What is indicated about Marv Gable?

(A) He works in a large office.

(B) He is an award-winning author.

(C) He is a well-known fiction writer.

(D) He has written about relationships before.

25. 正解 (D)

　この書評で対象となる本をどう形容しているかを読み取る。第2段落5～6行目の With an insight and sense of humor that are highly profound から、ユーモアに満ち溢れる面白い本であるとわかる。よって、(D) It is funny. が正解。

😎 これはちょっと難易度高いですね。

😀 うん、sense of humor が highly profound だから funny っていう言い換えは、手ごわい。

😎 (D) はいかにも不正解の選択肢っぽいですしね。実力が試される問題です。

26. 正解 (D)

　第2段落2～3行目で dull は、energy to the recently dull and colorless self-help genre. という使われ方をしている。ここでは、「退屈な、つまらない」という意味で、(D) uninteresting の同義語になる。

😀 dull っていろんな意味があるよね。

😎 はい、「刃が鈍い、なまくらな」という意味では (A) blunt と同じ意味になります。

😀 あとは、「反応が鈍い」とか「色がさえない」とか。ちなみに3～4行目に Aiming to reach a wider range of readers ってあるけど、この reach の使い方、TOEIC

の同義語問題で出たことあるよ。

😎 確か communicate with を正解として選ばせる問題でしたよね。多くの人に届く、伝えるという意味です。

27. 正解 (D)

Marv Gable について本文の内容と合うものを選ぶ。第2段落9〜12行目の What makes some relationships succeed and others fail? Gable again endeavors to answer this question as he did in *The Individual's Tribe.* から、彼は人間関係に関する別の本をすでに出していることがわかる。よって、(D)が正解。

😎 as he did in *The Individual's Tribe* から、この別の本でも同じことをした、すなわちその問いに答えることを試みたということがわかります。

🙂 うん、そしてその問いというのが What makes some relationships succeed and others fail? だね。

😎 これは relationship に関することなので、(D) He has written about relationships before. といえます。きっと前著でこのテーマが好評だったんでしょうね。

1回目		月	日	2回目		月	日	3回目		月	日
正解数	タイム	分	秒	正解数	タイム	分	秒	正解数	タイム	分	秒

問題25〜27は次のレビューに関するものです。

『相互の影響』：マーブ・ゲーブルの傑作

マーブ・ゲーブルの新刊『相互の影響』を何と形容すればいいだろう。ひと言で言うなら、「買い」だ。借りたり立ち読みするだけでは物足りない。何度も読みたくなるからだ。

ゲーブルの最新刊は、最近のつまらない無味乾燥な自己啓発のジャンルを活性化するパワーに満ち、その説得力とわかりやすさには驚かされる。より幅広い読者層と通じ合うため、著者は、この新著の中で、社内外の人間関係を描いている。洞察とユーモアのセンスに満ち溢れた本書で、ゲーブルは、上司と部下の関係に加え家族や友人の関係において共通点を見つけ出すことに成功している。うまくいく関係とそうでないものの違いはいったい何なのか。ゲーブルは『個人の集団』と同様、この問いに答えようと再び試みている。そしてこの質問に対する答えを追い求めることが、プライベートから職場まで、人間関係を強めるためにすべての人々が行うべきことであると彼は信じている。

もしあなたが、何らかの人間関係を持っている、あるいは持っていた、または持とうとしているのであれば、『相互の影響』は必読である。

25. レビュワーは、『相互の影響』について何と評していますか。

    (A) 人気がある。
    (B) 専門的である。
    (C) 短い。
    (D) おもしろい。

26. 第2段落2行目の dull に最も近い意味の語は

    (A) blunt 「鈍い」
    (B) tiresome 「うんざりさせる」
    (C) meticulous 「細部まで行き届いた」
    (D) uninteresting 「つまらない」

27. マーブ・ゲーブルについてどんなことがわかりますか。

    (A) 大きな会社で働いている。
    (B) 受賞経験のある作家である。
    (C) 著名なフィクション作家である。
    (D) 人間関係について前に書いたことがある。

Questions 28–30 refer to the following memo.

To: Staff
From: Doug Sinclair
Subject: Project Reports
Date: August 16

This message is sent to those who have yet to submit their project reports. The deadline is today; however, at the very latest they should be sent to me by e-mail or put on my desk before noon tomorrow. Keep in mind that your report does not have to be very detailed; a brief summary describing your project and project goals will suffice. You should also indicate how far you have come in your project and fill out the proposed schedule section of the template, which is attached to this e-mail and available as hardcopy from your supervisors. All projects should be wrapped up before the end of the fiscal year, though in some cases extensions can be given. If you need an extension, come by my office so we can figure something out. Regardless, I'll be going over all of your reports this week, so get them to me soon.

Regards,

Doug Sinclair

28. What is the purpose of the memo?

   (A) To remind recipients about a deadline
   (B) To report on progress on a project
   (C) To notify about completion of a project
   (D) To request the extension of a deadline

29. What are the recipients asked to do?

   (A) Inform about the status of their current project
   (B) Write a detailed description of their work
   (C) Come in early the following morning
   (D) Submit a proposal for a presentation

30. What can be inferred from this memo?

   (A) The memo was sent to all the staff members.
   (B) The deadline for the report has already passed.
   (C) The report must be submitted by e-mail.
   (D) There is a fixed template for the report.

28. 正解 (A)

冒頭、「このメッセージはまだ報告書を提出していない人に送っている。締め切りは今日だが、明日の正午までに出してもらえればいい」と述べている。よって、このメールの目的は (A) To remind recipients about a deadline といえる。

- 目的を問う問題は、前半部分から答えが決まることが多いですね。
- そう。このメールでは I am writing to ～のようにはっきりした形では示されていないけど、それでも出だしの部分から目的はわかるね。

29. 正解 (A)

7～8行目の You should also indicate how far you have come in your project で、このメールの受け手がやるべきことを should を使って示している。これはするように頼んでいることのひとつであり、同じ内容を表す (A) Inform about the status of their current project が正解。

- この問題のように「頼まれていることは何？」っていう問題って、Please とか頼みごとをするとき使う表現が手がかりになることが結構あるんだけど、この問題は違うね。

😃 書き手が受け手に「あれやって、これやって」とやることの指示をたくさん出しているので、その中から選択肢で対応しているものを選ぶという感じですね。

30. 正解 (D)

本文の内容から推測できることが答えとなる。9〜10行目の and fill out the proposed schedule section of the template から、報告書用に決まったテンプレートがあることがわかるので、(D) が正解。

😃 infer が入った問題は手ごわいですね。

😃 うん。書かれている内容をもとに推測しなきゃいけないからね。

😃 冒頭に、This message is sent to those who have yet to submit their project reports. と書かれているので、スタッフのうち、レポートをまだ提出していない人のみにこの通達が送られていることがわかりますから、(A) は不正解です。

1回目	月	日	2回目	月	日	3回目	月	日
正解数　タイム　分　秒			正解数　タイム　分　秒			正解数　タイム　分　秒		

問題28〜30は次の社内通達に関するものです。

宛先：スタッフ
差出人：ダグ・シンクレア
件名：プロジェクトレポート
日付：8月16日

このメッセージは、まだプロジェクトレポートを提出していない人たちに送られています。提出期限は今日ですが、遅くとも明日の正午までにメールで私に送るか、私の机の上に置いてください。レポートはあまり細かく書かなくて構わないことを念頭に置いてください。自分のプロジェクトとそのゴールについて短くまとめたもので十分です。また、今どの程度までプロジェクトが進んでいるかを記し、このメールに添付されている定型フォームのスケジュール予定部分を埋めてください。定型フォームは上司からコピーを紙でもらうこともできます。すべてのプロジェクトは、本会計年度末までにまとめ上げる必要がありますが、場合によっては延長も可能です。延長が必要な場合は、状況を把握するため、私のオフィスに来てください。いずれにせよ、今週中にすべてのレポートに目を通す予定ですので、レポートはすぐに提出してください。

敬具

ダグ・シンクレア

28. この社内通達の目的は何ですか。

　　(A) 受信者に期限を再確認する
　　(B) プロジェクトの進行状況を報告する
　　(C) プロジェクトの完了を知らせる
　　(D) 期限の延長を求める

29. 受信者はどうすることを求められていますか。

　　(A) プロジェクトの現状を知らせる
　　(B) 自分の仕事の詳細な説明を記す
　　(C) 翌日の朝早く出社する
　　(D) プレゼン用の提案を提出する

30. この社内通達からどんなことがわかりますか。

　　(A) この社内通達はスタッフ全員に送られた。
　　(B) レポートの提出期限はすでに過ぎた。
　　(C) レポートはメールで提出しなければならない。
　　(D) レポートには決まったフォームがある。

Questions 31–33 refer to the following e-mail.

To: Claire Smith
From: Lucas Mendel
Subject: 420-GC Packaging
Date: March 25

Sales figures for our new coffee maker have continued to be disappointing. After going over issues that came up in a customer survey, we have found that the main problem lies not with the product, but with its packaging. Although the new package is lighter, both customers and retailers are dissatisfied with its design. First, it is difficult to carry because most of the coffee maker's weight inside the package favors one side. This likely explains why so many of the products are being dropped at stores. Second, the color of the package is not good. Because it is white, it easily gets dirty and can look stained by the time it reaches store shelves. Third, storing the product is difficult because of the curved back of the package and its sloped top. The rectangular shape we discussed last year is better.

We need to change the package design before the next round of coffee makers is manufactured in April. The pictures on the front of the package are good, so let's keep them, but the ones on the side are too small. I expect the marketing division to send me some fresh design ideas by the end of this week so that we can get started.

Best regards,

Lucas Mendel

31. What is the e-mail mainly about?

　(A) A defective product
　(B) A sales forecast
　(C) An instruction booklet
　(D) A package design

32. The word "issues" in paragraph 1, line 3, is closest in meaning to

　(A) positions
　(B) problems
　(C) choices
　(D) versions

33. What can be inferred about the coffee maker?

　(A) It is currently very popular among customers.
　(B) There was a discussion about the packaging last year.
　(C) There have been some customer complaints about its quality.
　(D) It will not be produced until the beginning of May.

31. 正解 (D)

第1段落4～7行目で、the main problem lies not with the product, but with its packaging. Although the new package is lighter, both customers and retailers are dissatisfied with its design. と、パッケージのデザインに問題があることを示し、それに続く部分で問題点を具体的に指摘している。よって、このメールは (D) A package design に関するものであるといえる。

- 文書のトピックを問う問題は、全体の内容を踏まえて解くのが正攻法。
- そうですね。でもこの問題だと、件名の欄、Re: 420-GC Packagingから、答えが予想できるかもしれません。
- 確かに。件名が答えのヒントになるときもあるから読み飛ばさないこと。

32. 正解 (B)

第1段落3行目で、issues は After going over issues that came up in a customer survey, という部分に出てくる。ここでは、(B) problems「問題」と意味が近い。

- issueはいろいろな意味がありますよね。
- 「雑誌の号」とか、「論点」とか、「供給」とか。
- あと、動詞にもなって、「発表する」や「発行する」などの意味もあります。「closest in meaning to」です

から、そうしたいろいろな意味の中から、文章中で使われている意味に一番近いものを選ぶのが基本です。

33. 正解 (B)

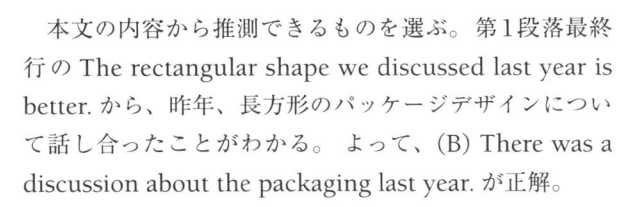

本文の内容から推測できるものを選ぶ。第1段落最終行の The rectangular shape we discussed last year is better. から、昨年、長方形のパッケージデザインについて話し合ったことがわかる。よって、(B) There was a discussion about the packaging last year. が正解。

- 選択肢ひとつひとつを本文に照らし合わせて解く問題。
- ええ、「What can be inferred 〜」タイプの問題はその解き方が定石ですね。
- だから解くのに時間がかかる問題が多いよね。

1回目	月	日	2回目	月	日	3回目	月	日
正解数　タイム　分　秒			正解数　タイム　分　秒			正解数　タイム　分　秒		

問題31〜33は次のメールに関するものです。

宛先：クレア・スミス
差出人：ルーカス・メンデル
件名：420-GC パッケージ
日付：3月25日

われわれのコーヒーメーカーの新製品の販売状況は依然としてよくありません。お客様調査で浮かび上がった問題について検討した結果、最大の問題は、製品ではなく、パッケージにあることがわかりました。新しいパッケージは、軽くなったものの、お客様も販売店もデザインに不満を持っています。まず、中のコーヒーメーカーの重さが片寄ってしまっていて、持ち運び不便です。店頭で製品が多数落下しているのはこのためだと思われます。次に、パッケージの色がよくありません。白なので、汚れやすく、店頭の棚に並んだときにはすでに汚れて見えてしまいます。3つ目の問題として、パッケージの背面がカーブしていて、上面が斜めになっているため、置きづらいことが挙げられています。昨年議論した長方形の方がよいでしょう。

コーヒーメーカーの4月の次回生産時までにパッケージデザインを変更する必要があります。パッケージ正面の写真は良いので今のままでいきましょう。しかし、側面の写真は小さすぎます。変更作業に入れるよう、マーケティング部は、今週末までに私宛に新しいデザイン案をいくつか送ってくれることになっています。

敬具

ルーカス・メンデル

31. 主に何についてのメールですか。

    (A) 欠陥商品
    (B) 販売予測
    (C) 説明用小冊子
    (D) パッケージデザイン

32. 第 1 段落 3 行目の issues に最も近い意味の語は

    (A) positions 「位置」
    (B) problems 「問題」
    (C) choices 「選択」
    (D) versions 「版」

33. コーヒーメーカーについてどんなことがわかりますか。

    (A) お客様の間で今非常に人気である。
    (B) パッケージについての議論が昨年あった。
    (C) 品質に関する苦情がお客様から数件あった。
    (D) 5 月の初めまで生産されない。

Questions 34–36 refer to the following advertisement.

Halifax Recycle, the only cell phone and computer recycling shop in Halifax, has served the community for 20 years. We take any computer, monitor, printer, fax machine or cell phone you bring to our door, and at no charge.* We even offer FREE pick-up for large quantities. Because your electronics contain hazardous materials, let our experts, who care about the Earth, dispose of or recycle them. If you would like us to make a pick-up or have any questions, do not hesitate to contact us. We are located between the Alston Factory Outlet Mall and Leo's Upholstery on Laurier Avenue.

FOR A MAP WITH OUR LOCATION, VISIT:
www.halifaxyclemap.com
E-MAIL: info@halifaxycle.goca
PHONE: 1-555-773-1258

*Due to new regulations for disposal of copper and aluminum material parts, we will be charging a fee for disposal of all CRT monitors beginning May 1.

34. According to the advertisement, what can be found on the company's Web site?

(A) A price list
(B) A safety regulation
(C) A disposal form
(D) A store location

35. What item will require fees for disposal after May 1?

(A) PC hardware
(B) Cell phones
(C) Fax machines
(D) CRT monitors

36. What is NOT indicated about Halifax Recycle?

(A) It has been in business for twenty years.
(B) It has specialists who handle dangerous disposal.
(C) It has a campaign until the end of April.
(D) It has no competitors in Halifax.

34. 正解 (D)

the company's Web site がキーワード。網かけ部分の FOR A MAP WITH OUR LOCATION, VISIT: www.halifaxyclemap.com からサイト上に店の所在地を示した地図があることがわかる。よって、(D) A store location が正解。

😊 the company's Web site だからサイトのアドレスが出てくる部分が対応している。

😃 Web site という語は出てきませんが、アドレスからそれが会社のサイトだとわかりますね。

😊 うん。これは普通に考えれば比較的やさしい問題だね。

35. 正解 (D)

fees がキーワード。ページ下注釈部の we will be charging a fee for disposal of all CRT monitors beginning May 1. が対応している。よって、(D) CRT monitors が正解。

😃 このようにアスタリスク (*) で示されている補足情報が解答に絡むケースがしばしばありますよね。怖いシーンが終わったと思ったら、その直後にもっと怖いシーンが出てくるホラー映画のようです。最後まで気が抜けません。

😊 うん、見落としがちだから注意しないといけない。

36. 正解 (C)

本文の内容に合わない選択肢を選ぶ。(A) It has been in business for twenty years. は第1段落1〜3行目の Halifax Recycle...has served the community for 20 years. が、(B) It has specialists who handle dangerous disposal. は第1段落6〜8行目の Because your electronics contain hazardous materials, let our experts, who care about the Earth, dispose of or recycle them. が、(D) It has no competitors in Halifax. は第1段落1〜2行目の Halifax Recycle, the only cell phone and computer recycling shop in Halifax が対応している。(C) It has a campaign until the end of April. に対応する記述はないので、これが答え。

- hazardous と dangerous の言い換えは難しめ。両方とも「危険な」という意味。

- あと the only cell phone and computer recycling shop だから、It has no competitors っていうのも面白いですね。

- うん、いい言い換えだね。ちなみに TOEIC 業界には competitor がいっぱい。

問題34〜36は次の広告に関するものです。

ハリファックス・リサイクルは、ハリファックスにある唯一の携帯電話とPCのリサイクルショップとして、地域で20年にわたり営業してきました。あらゆるPC、モニター、プリンター、ファックス、携帯電話も、我々のところまでお持ちいただければ無料＊でお引き取りいたします。量が多い場合は無料で回収にお伺いします。お持ちの電化製品には、危険物が含まれていますので、地球環境のことを考えるわが社の専門家に、それらの廃棄処理やリサイクルはお任せください。お引き取りをご希望の場合やご質問がある場合は、遠慮なくご連絡ください。場所は、ローリエ通りのアルストン・ファクトリー・アウトレット・モールとレオ洋品店の間です。

当社の場所の地図につきましては、
www.halifaxyclemap.com にアクセスしてください。
メール：info@halifaxycle.goca
電話：1-555-773-1258

＊ 銅とアルミ素材のパーツの廃棄処理についての新たな規制により、すべてのブラウン管モニターの処理は、5月1日以降有料となります。

34. 広告によると、会社のウェブサイトには何が掲載されていますか。

(A) 価格のリスト
(B) 安全規定
(C) 廃棄処理フォーム
(D) 店の場所

35. 5月1日以降、廃棄処理に費用が必要なのはどの製品ですか。

(A) PCハード
(B) 携帯電話
(C) ファックス機
(D) ブラウン管モニター

36. ハリファックス・リサイクル社について書かれていないことは何ですか。

(A) 20年営業している。
(B) 危険な廃棄物を処理する専門家がいる。
(C) 4月末までキャンペーン中である。
(D) ハリファックス地域には競争相手がいない。

Questions 37–39 refer to the following memo.

To: All Staff
From: Sarah Lawrence
Subject: Company Banquet
Date: November 10

The annual company banquet will be held on Saturday, December 12. Family members, including children, are welcome to come along, and tickets can be purchased from Shane Lee in personnel. The ticket price is 75 dollars; children 12 and under do not need a ticket. Our usual venue at the Barnes Hotel is undergoing renovations this year, so the banquet will be at the Marlton Hotel on Finch Drive. Ted Fellows and Lisa Wakowski have already started planning for the occasion and would like anyone interested in volunteering to get a hold of them. Several people are needed to fill posts on December 12, such as ticket collectors and coat check staff as well as people to decorate the hall. Please contact Ted or Lisa as soon as possible if you are interested in helping out at the start of the banquet. The hotel's expert chefs will be preparing a lot of great food, so make sure to come with an appetite.

Sarah Lawrence
Vice President

37. What is the purpose of the memo?

   (A) To encourage employees to buy movie tickets
   (B) To announce a new company policy
   (C) To advertise new services at a hotel
   (D) To notify employees about an upcoming event

38. Who should employees contact about paying for tickets?

   (A) Sarah Lawrence
   (B) Lisa Wakowski
   (C) Shane Lee
   (D) Ted Fellows

39. What is NOT true about the banquet?

   (A) The company is soliciting volunteers for the preparation.
   (B) It will be held at the same hotel as the previous year.
   (C) The company will hire outside help for the food.
   (D) It does not require any admission for children under twelve.

37. 正解 (D)

冒頭、The annual company banquet will be held on Saturday, December 12. と述べ、社内パーティーの連絡を続けている。よって、この社内通達の目的は、(D) To notify employees about an upcoming event といえる。

😀 文書の目的を問う問題ってよく出るよね。

😊 これは定石どおり、パッセージの冒頭の部分から目的がわかるので、解きやすいと思います。

😀 選択肢の upcoming は TOEIC の頻出語句だね。come up「来る」から派生した形容詞で、「来たる」「今度の」の意味。

38. 正解 (C)

paying for tickets がキーワード。3〜4行目の and tickets can be purchased from Shane Lee in personnel. から、Shane Lee がチケットの販売を担当していることがわかるので、(C) が正解。

😊 (C) 以外の選択肢で挙げられている名前も本文に出てきますが、チケット担当の人たちではありません。

😀 うん、落ち着いて読めば間違えない。in personnel ということは、この人は人事課で働いているんだね。

😊 personnel の同義語の human resources も TOEIC でよく見かけます。

39. 正解 (B)

　本文の内容と食い違う選択肢が正解となる。(A) The company is soliciting volunteers for the preparation. は、8〜13行目の Ted Fellows and Lisa Wakowski have…to decorate the hall. が、(C) The company will hire outside help for the food. は最後の2行の The hotel's expert chefs will be preparing a lot of great food, so make sure to come with an appetite. が、(D) It does not require any admission for children under twelve. は5行目の children 12 and under do not need a ticket. が対応している。(B) It will be held at the same hotel as the previous year. は、5〜8行目の Our usual venue at the Barnes Hotel is undergoing renovations this year, so the banquet will be at the Marlton Hotel on Finch Drive. と食い違うので、これが正解。

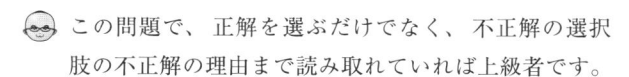

> この問題で、正解を選ぶだけでなく、不正解の選択肢の不正解の理由まで読み取れていれば上級者です。

> 選択肢(A)に出てくる solicit は ask for (求める) の意味の TOEIC 頻出語。押さえておこう。

1回目	月	日	2回目	月	日	3回目	月	日
正解数　タイム　分　秒			正解数　タイム　分　秒			正解数　タイム　分　秒		

問題37〜39は次の社内通達に関するものです。

宛先：スタッフ全員
差出人：セーラ・ローレンス
件名：社内パーティー
日付：11月10日

毎年恒例の社内パーティーが12月12日（土曜日）に開催されます。子供も含む社員の家族の参加も歓迎で、チケットは人事のシェーン・リーから購入可能です。チケットの価格は75ドルですが、12歳以下の子供はチケットは必要ありません。いつもの開催場所であるバーンズホテルが今年は改装中のため、パーティーはフィンチ・ドライブにあるマールトンホテルで開催されます。テッド・フェローズとリサ・ワコウスキーがすでに会の準備に入っているので、ボランティア希望の方は二人に連絡してください。チケットの収集やクローク、会場の飾りつけなどの仕事をしてくださる方が、12月12日に必要です。パーティーの開始時のお手伝いに興味のある方はなるべく早くテッドかリサに連絡してください。ホテルの腕のいいシェフがたくさんの美味しい食べ物を用意してくれる予定ですので、お腹を空かしてご来場ください。

セーラ・ローレンス
副社長

37. 社内通達の目的は何ですか。

   (A) 従業員に映画のチケットの購入を勧める
   (B) 会社の新しい方針を伝える
   (C) ホテルの新しいサービスを宣伝する
   (D) 従業員に近々行われる行事について知らせる

38. 社員は、チケットの購入の際、誰に連絡すればいいですか。

   (A) セーラ・ローレンス
   (B) リサ・ワコウスキー
   (C) シェーン・リー
   (D) テッド・フェローズ

39. パーティーについて正しくないことは何ですか。

   (A) 会社は、準備のためのボランティアを求めている。
   (B) 前年と同じホテルで開催される。
   (C) 会社は、外部の業者に食事の準備を頼む。
   (D) 12歳以下の子供には入場料は必要ない。

Questions 40–42 refer to the following announcement.

BOSTON PHOTO
your studio for the journey of your life

BOSTON PHOTO is excited to announce it will be reopening its doors on June 19. The studio, one of the longest-running businesses in the city and the oldest photography store in Massachusetts, was closed last year after a fire on the second floor of the building. Boston Photo's owner, Mallory Reese, whose great-grandfather, Samuel Albert, first opened the shop, will continue to run the business. Known for its high-quality portraits and portfolio that includes several Boston mayors and other high-profile Bostonians, as well as its reputation for always offering exceptional rates, the shop is eagerly anticipating the return of its customers. After the fire, the studio was closed for nearly a year, though Ms. Reese continued to employ all five of her staff and work with clients outside the shop. Boston Photo will be at the same spot it has been for nearly a century, at 24 Rutherford Street on the first floor of the Rideau Building.

Visit its Web site at www.bostonphoto.click.com to see the store's comprehensive portfolio and unbeatable rates.

40. What does this announcement publicize?

(A) An established business

(B) A newly opened store

(C) A location change

(D) A Web site renewal

41. What is indicated about Boston Photo?

(A) It is the oldest company in Massachusetts.

(B) It has a dozen skilled staff.

(C) It accepts online reservations.

(D) It offers services at reasonable prices.

42. What is NOT mentioned in the announcement?

(A) Samuel Albert is related to Mallory Reese.

(B) Boston Photo has been open for nearly one hundred years.

(C) The fire started in the photo studio last year.

(D) Services outside the studio were never interrupted.

40. 正解 (A)

この文書は写真店の営業再開を伝え、その店の特長を説明している。よって、宣伝しているのは (A) An established business といえる。

😀 publicize は「宣伝する」という意味。advertise の同義語。

😊 このお知らせは、昔からある写真店の新装開店の宣伝ですから、(A) が答えですね。an established business という表現は難しいですが、本番でも出ました。

😀 うん、「すでに establish された business」。establish は「設立する」、business はここでは「店、会社、事業」という意味。

41. 正解 (D)

Boston Photo に関して本文の内容に合うものを選ぶ。12行目の offering exceptional rates や最終行の … unbeatable rates. から、料金が安いことがわかる。これには、(D) It offers services at reasonable prices. が対応している。

😊 the oldest photography store in Massachusetts (4行目) とありますけど、the oldest company ではないので (A) は不正解です。

😀 うん。それから、all five of her staff (15行目) とあ

るので、従業員は5人。12人じゃないから(B)はだめ。

😎 後半、オンラインのことも書かれていますが、予約を受け付けるとは書かれていないので、(C)も答えになりません。

42. 正解 (C)

本文の内容と合わない選択肢が答えになる。5～6行目のlast year after a fire on the second floor of the building. から昨年、ビルの2階で火災が発生したことがわかる。また、段落最終文のBoston Photo will be at the same spot it has been for nearly a century, at 24 Rutherford Street on the first floor of the Rideau Building. から、写真店はビルの1階にあることがわかる。よって、火災が発生したのは写真店ではないので、(C)の内容と食い違う。

😀 これは難しい問題だ。火災が原因で店を閉めていたと聞くと、出火元もその店だと思ってしまう。

😎 そうですね。「ビルの2階から出火」と「写真店は1階」という2つの情報を関連づけないといけないハイレベルの問題です。Ms. Reese continued to...work with clients outside the shop. (14～16行目)と書かれているので(D)は不正解です。

1回目	月	日	2回目	月	日	3回目	月	日
正解数 タイム 分 秒			正解数 タイム 分 秒			正解数 タイム 分 秒		

問題40〜42は、次のお知らせに関するものです。

ボストン・フォト
人生の門出をこのスタジオで

ボストン・フォトは6月19日にリニューアルオープンすることをお知らせします。ボストン市で最も古い会社のひとつで、マサチューセッツ州で一番古いこの写真店は、入居しているビル2階の火災の影響で昨年以来閉店していました。店の創業者であるサミュエル・アルバートを曾祖父に持つボストン・フォトのオーナー、マロリー・リースが、引き続き店の営業を続けます。数人のボストン市長をはじめとするボストンの著名人の高品質の肖像写真や写真集でも知られ、常に破格の安値でサービスを提供することでも評判のボストン・フォトは、お客様に再びご来店いただけることを楽しみにしています。火災の後、スタジオは1年近く閉鎖されていましたが、その間も、リースさんは5人の従業員を雇い続け、店の外でお客様とのお仕事を続けてきました。ボストン・フォトは、1世紀近く営業してきたのと同じ場所、ラダフォード通り24番地、リドービル1階のままです。
お店で撮影された写真の一覧や、他の追随を許さない価格については、ウェブサイト www.bostonphoto.click.com をご覧ください。

40. お知らせは何を宣伝していますか。

   (A) 既存の事業
   (B) 新しく開店したお店
   (C) 移転
   (D) ウェブサイトの更新

41. ボストン・フォトについてどんなことがわかりますか。

   (A) マサチューセッツ州で一番古い会社である。
   (B) 12人の有能なスタッフがいる。
   (C) ネット予約を受け付けている。
   (D) 手ごろな価格でサービスを提供している。

42. お知らせの中で述べられていないことは何ですか。

   (A) サミュエル・アルバートはマロリー・リースと血縁関係がある。
   (B) ボストン・フォトは100年近く営業している。
   (C) 昨年フォト・スタジオから出火した。
   (D) スタジオ外のサービスは中断したことがない。

Questions 43–45 refer to the following e-mail.

To: Andy Sulong
From: Elias Jayasuriya
Subject: Training
Date: Wednesday, May 6

Dear Andy:

I'm writing to make a couple of additional requests for next week's training program in Kuala Lumpur. But first I want you to know how pleased we are to have a team of sales representatives based in Malaysia joining our team this year. We intend to help you make the program a success in any way we can, as the trainees will soon be on the frontline of communications with our customers there.

I believe you have already started preparation for the program by arranging for a venue, renting equipment and selecting training materials. Regarding equipment, could you make sure that I will be able to connect my laptop to the projector? During the morning session, I will need to show two promotional videos.

Also, if it is not too late, I would like several pages included in the training manual. If you have already bound the materials, I can print the additional pages here in Bangkok and bring them with me, though I'd rather not have to take them on the flight. Ideally a staff member on your end can prepare them and have them bound with the rest of the manual. Please let me know whether this is possible at this point. That is all for now. I look forward to seeing you in Kuala Lumpur.

Best regards,

Elias Jayasuriya
Department Chief
Human Resources

43. Who is the training for?

(A) Computer technicians

(B) Newly hired staff

(C) Sales executives

(D) Human resources personnel

44. What does Elias Jayasuriya ask Andy Sulong to do?

(A) Pick him up at the airport

(B) Lend him a laptop computer

(C) Show videos to the trainees

(D) Add extra pages to a manual

45. What is indicated about the program?

(A) The trainees will handle customers in Thailand.

(B) The preparations are already in progress.

(C) Promotional videos will be shown in the afternoon.

(D) It will take place at the end of May in Malaysia.

43. 正解 (B)

第1段落3〜5行目の a team of sales representatives based in Malaysia joining our team this year. から新たに販売員チームがこの会社に加わったことがわかる。第1段落の内容から、この研修が彼らのために行われると予想できるので、(B) Newly hired staff が正解。

😀 a team of sales representatives based in Malaysia joining our team this year. って、グループ入社みたいな感じ？

😎 マレーシアに営業拠点が新たにできるってことじゃないですか？

😀 へー、そうなんだ？

😎 ちなみに、sales representative は「販売担当者」「営業マン」の意味で、責任者ではないので、(C) は不正解です。

44. 正解 (D)

Elias Jayasuriya はこのメールの書き手で Andy Sulong は受け手。第3段落1〜2行目で I would like several pages included in the training manual. とマニュアルにページを追加することを頼んでいる。よって、(D) Add extra pages to a manual が正解。

😎 ask to do を使って頼んでいる内容が問われているので、人に頼みごとをする表現がポイントになります。

😀 そう、ここでは I'd like が使われているね。

😆 この手の「依頼」問題を解くヒントは、最終段落1行目や最後の1文にあるケースがしばしばあります。この場合は前者ですね。本番で時間がなければ、「依頼問題→最終段落」と頭に入れておくのも手です。

45. 正解 (B)

この研修プログラムに関して文書の内容に合うものを選ぶ。第2段落1〜3行目で、I believe you have already started preparation for the program by arranging for a venue, renting equipment and selecting training materials. と述べているので、(B) The preparations are already in progress. が正解。

😀 you have already started preparation for the program から、準備がすでに始まっていることがわかる。

😆 だから in progress「進行中」といえますね。

😀 そう、これもパート7の言い換え表現の典型的なパターンのひとつ。

😆 ちなみに、研修の受講者の担当営業地域はマレーシア、研修でのビデオ上映は午前中、メールの日付が5月6日で研修はその翌週なので、残りの選択肢は不正解です。

1回目	月	日	2回目	月	日	3回目	月	日
正解数 タイム 分 秒			正解数 タイム 分 秒			正解数 タイム 分 秒		

問題43～45は次のメールに関するものです。

宛先：アンディー・サロング
送信者：エリアス・ジャヤスリヤ
件名：研修
日付：5月6日（水曜日）

アンディーさん

来週クアラルンプールで行われる研修プログラムについていくつか追加のリクエストがあり、メールしています。ですが、まず、今年、マレーシアに拠点を置く販売員のチームが我々のチームに加わってくれたことをどれだけうれしく思っているかお伝えしたく存じます。この研修の受講者は、近い将来、マレーシアでお客様とのやり取りの最前線に立つので、あなた方がこの研修を成功させるために我々ができることは何でも協力させていただく所存です。

会場の手配や機材のレンタル、研修教材の選定等、すでに研修の準備を始められているかと思います。機材に関してですが、プロジェクターに私のラップトップPCをつなげられるようご確認いただけないでしょうか。午前中の講習で、2本のプロモーションビデオを見せる予定ですので。

また、まだ間に合うようでしたら、研修マニュアルに数ページ追加したくお願いします。もし、すでに教材を綴じてしまったようでしたら、ここバンコクで追加のページを印刷し、持っていくことも可能ですが、できれば、それを持って飛行機に乗るのは避けたく思っています。そちらのスタッフに追加分をご用意いただいて、マニュアルの他の部分と一緒に綴じていただくのが理想です。現時点でそれが可能かどうか教えてください。

では、私からは以上です。クアラルンプールでお会いできることを楽しみにしています。

敬具

エリアス・ジャヤスリヤ
部門長
人事部

43. 研修は誰のためのものですか。

    (A) コンピュータ技術者
    (B) 新しく採用された従業員
    (C) 販売役員
    (D) 人事担当者

44. エリアス・ジャヤスリヤは、アンディー・サロングに何をするように頼んでいますか。

    (A) 空港に迎えに来る
    (B) ノートパソコンを貸す
    (C) 研修受講者にビデオを見せる
    (D) マニュアルにページを追加する

45. このプログラムについて何が示されていますか。

    (A) 研修受講者はタイで顧客を扱うことになる。
    (B) 準備はすでに進行中である。
    (C) プロモーションビデオを午後に見ることになっている。
    (D) 5月末にマレーシアで行われる。

Questions 46–48 refer to the following letter.

August 1

Dear Marcus Parker:

This letter is to let you know that I have decided to leave Minnesota and return to London to live with my parents at the start of next month. There, I will start working at the company's branch office under Thomas Jefferies after a one-week vacation. I will be happy to help transfer my job responsibilities to my successor before I leave at the end of this month.

Eleven years with the company has been an invaluable experience for me. I deeply appreciate your trust in giving me positions with increasing levels of responsibility over the years, even though I did not have experience in the industry before joining the company. In particular, the experience I have gained in my current position as assistant branch manager will be highly useful to me in London.

Marcus, since my first year working here, I have strived to develop my management abilities to match yours. You are highly respected for your treatment of both subordinates and clients, and you always know the best action to take in any situation. I sincerely hope that in the future I become as capable a manager as you.

I am sure you can understand that leaving Minnesota has been a very difficult decision for me to make. Your acceptance of my transfer will be greatly appreciated.

Yours sincerely,

Abigail Branford

Abigail Branford

46. What is the purpose of Ms. Branford's letter?

(A) To commend an employee on his achievement

(B) To congratulate Mr. Parker on his promotion

(C) To notify Mr. Parker of her decision

(D) To recommend a colleague for a position

47. The word "invaluable" in paragraph 2, line 1, is closest in meaning to

(A) useful

(B) previous

(C) inevitable

(D) worthless

48. What will Abigail Branford do in September?

(A) She will work at her parents' company.

(B) She will transfer her current job responsibilities.

(C) She will work under Thomas Jefferies.

(D) She will take a management course in London.

46. 正解 (C)

手紙の目的は前半部分で述べられていることが多い。ここでも、冒頭の This letter is to let you know that I have decided to leave Minnesota and return to London to live with my parents at the start of next month. が目的を示している。この you は手紙の受け手である Marcus Parker のことなので、(C) To notify Mr. Parker of her decision が正解。

- この問題は、基本に忠実に解けば大丈夫。
- 「目的は文書の前半」という基本ですね。それから、本文の let you know が選択肢の notify に、I have decided が her decision に言い換えられているのもよくあるパターンですね。
- うん、あと選択肢で使われている語彙のレベルが高いね。commend、achievement、congratulate、promotion、recommend、colleague、position あたりはしっかり確認しておいた方がいい。

47. 正解 (A)

invaluable は第2段落1〜2行目で、Eleven years with the company has been an invaluable experience for me. という使われ方をしている。これは (A) useful「役に立つ」と一番意味が近い。

- invaluable って面白い形容詞ですね。普通は頭に in- がつくと反対の意味になりますが、invaluable は valuable と同じ意味、というよりむしろ強調された very valuable の意味になります。

- valuable って、「価値を評価する」という意味の動詞 value から派生した形容詞。invaluable だと「評価できないほど価値が高い」というようなニュアンスになるのかな。

- priceless に似てますね。「値段がない」という意味ではなく、「値段をつけられないくらい価値が高い」という意味になります。

- そうだね。ちなみに第3段落2行目の match も同義語問題で使われそう。

- 文脈によって equal「匹敵する」や fit「合う」の意味になりますからね。

48. 正解 (C)

　手紙の初めに August 1 とあるので、これが書かれたのは8月で、文中の next month が September にあたる。第1段落2〜4行目の …return to London…at the start of next month. There, I will start working at the company's branch office under Thomas Jefferies… とあるので、9月から トーマス・ジェフリーの下で働くことがわかる。よって (C) が正解。

😀 質問の September をキーワードに検索するとちょっと困る。

😎 September って本文に出てきませんからね。

😀 そう、August 1 と next month に気がつかないといけない。

😎 彼女が9月以降働くのは、両親の会社ではなく今の会社のロンドン支店で、彼女が業務の引き継ぎを行うのは今月 (8月) 中ということが、共に第1段落の記述から分かります。(D) に関する記述は本文中にありません。ですので、他の選択肢は不正解です。

1回目	月	日	2回目	月	日	3回目	月	日
正解数 タイム 分 秒			正解数 タイム 分 秒			正解数 タイム 分 秒		

問題46〜48は次の手紙に関するものです。

8月1日

マーカス・パーカー様

この手紙は、来月の初めに、私がミネソタを離れ、両親と住むためにロンドンに戻ると決めたことをお知らせするものです。ロンドンでは、1週間の休暇の後、トーマス・ジェフリーの下、わが社の支店で働く予定です。今月末に出発するまでは、後任への業務の引き継ぎは喜んでお手伝いさせていただきます。

この会社での11年間は私にとってかけがえのない経験となりました。この会社に入るまでは業界未経験だったにもかかわらず、この期間中、あなたが私を信頼し、より責任の重い役職に次々に就かせていただいたことを心から感謝しています。特に、今の副支店長の職で得た経験は、ロンドンでも必ずや役に立つでしょう。

マーカスさん、私は、この会社での1年目から、あなたと同じレベルの管理能力を身につけたいと頑張ってきました。あなたは、部下と顧客両方の扱い方が素晴らしいので、非常に尊敬されています。また、どんな状況でも最善の対応策を心得ています。いつかあなたのような有能なマネージャーになりたいと私は心から願っています。

ミネソタを離れることが私にとって非常に難しい決断だったことをきっとご理解いただけることと思います。私の転任を受け入れていただければ幸いです。

敬具

アビゲイル・ブランフォード

46. ブランフォードさんの手紙の目的は何ですか。

　　(A) ある従業員の功績を称える
　　(B) パーカー氏の昇進を祝福する
　　(C) 彼女の決定をパーカー氏に知らせる
　　(D) 同僚をある職に推薦する

47. 第2段落の1行目のinvaluableに最も近い意味の語は

　　(A) useful 「役立つ」
　　(B) previous 「以前の」
　　(C) inevitable 「避けることのできない」
　　(D) worthless 「価値のない」

48. アビゲイル・ブランフォードは9月に何をしますか。

　　(A) 両親の会社で働く。
　　(B) 今の業務の引き継ぎを行う。
　　(C) トーマス・ジェフリーの下で働く。
　　(D) ロンドンでマネジメントコースを取る。

ビジネスの現場で最も求められるスキルは読解力！

　英語のいわゆる4技能（リスニング、リーディング、スピーキング、ライティング）のうち、一般的にビジネスの現場で最も求められるのはリーディングのスキルだと思います。

　たとえば、私は商品企画の仕事をしていますが、海外メーカーの最新動向をネットのニュースでチェックしたり、面白そうな商品がないかネットサーフィンしたり、商品カタログを読んだりといった作業を日常的に行っています。現代のビジネスの世界では、競合他社と比較して情報入手のスピードが1分1秒でも早い方が有利になりますので、当然高いリーディング能力が求められることになります。

　また、実際に相手企業とのやり取りが始まると、相手側のメールやプレゼン資料に素早く目を通してスピーディーに返答したり、商品の機能や取扱説明書を読んだり、契約段階では契約書に目を通したりと、ビジネスに結びつくまでにたくさんの英文を読んで理解する作業が発生します。特に、インターネットやEメールの急速な普及によって、リーディング力がより一層ビジネスの現場で求められるようになったと思います。

　大量の英文から、必要な情報をスピーディーかつ正確に読み取るという能力は、まさにTOEICのリーディングセクションで求められていることです。TOEICは、ビジネスの現場で使える表現の宝庫ですので、上手に活用すれば、リーディング能力をUPさせ、ご自身のビジネススキルを高めるのにとても有効だと思います。

第2部

実践！
Part 7 まるごと完走編

走行時間は48分！
特急スピードで
走り切ろう

Questions 1–2 refer to the following notice.

We have entered into a license agreement with Pinnacle Press, owner of the rights to the hit comic book *Angel Quest*. We are now planning to design and develop products featuring characters in the comic book. Currently it is very popular among children between six and eleven years old, so our product line-up will target this age group and include school stationery, clothes, food packaging and toys. An animated TV series as well as a movie version of *Angel Quest* will be released next year, at which time our products will be on the market. This means that there is a lot of work to be done over the next several months to bring product concept to form. There will be plenty of overtime available, so if you are interested in taking on extra hours, please let your supervisor know. Let's work together to make this project a big success.

1. What is *Angel Quest*?

    (A) An animated TV series
    (B) A comic book
    (C) A movie
    (D) A child's toy

2. If employees want to do overtime, what should they do?

    (A) Tell a supervisor
    (B) Fill out an application
    (C) Speak with the owner
    (D) Consult with co-workers

1. 正解 (B)

Angel Quest がキーワード。2〜3行目に the hit comic book *Angel Quest* とあるので、これがマンガの題名であることがわかる。よって、(B) が正解。

🧑 これは簡単な問題だ。難易度1だね、5段階評価で。

👨 こういうサービス問題は時間をかけずに確実に正解したいですね。

🧑 うん、本文中には An animated TV series、a movie version、toy などの語句も出てきているけど、慌てなければ間違えない。

2. 正解 (A)

overtime の情報を探すと 15〜18 行目に There will be plenty of overtime available, so if you are interested in taking on extra hours, please let your supervisor know. が見つかる。let your supervisor know が答えとなる情報。これを言い換えた (A) Tell a supervisor が正解。

😎 質問中にも言い換え表現が使われていますね。

🧑 そう、本文の if you are interested in taking on extra hours が質問の If employees want to do overtime に対応している。

😎 こういう言い換えのパターンもよく使われるので注意が必要です。

問題1〜2は次の告知に関するものです。

我々は、人気コミック、『エンジェルクエスト』の権利元であるピナクルプレスとのライセンス契約に合意しました。わが社は今、コミックに登場するキャラクターをあしらった商品をデザインし、開発する計画を立案中です。現在、『エンジェルクエスト』は6歳から11歳の子供に非常に人気なので、我々の商品ラインナップも、この年齢層を狙い、文具、衣料品、食べ物のパッケージ、玩具などが含まれる予定です。TVアニメシリーズや映画版の『エンジェルクエスト』も来年には公開予定で、その頃には我々の商品も市場に出回ることになるでしょう。このスケジュールからすると、商品コンセプトを構築するため、これからの数カ月間の間にやるべきことがたくさんあるということになります。残業の機会もたくさん出てきますので、残業を希望する場合は、直属の上司に知らせてください。皆で協力し、このプロジェクトを大きな成功に導きましょう。

スコアアップのための集中力 UP 法 ②
消極的な言動を避ける

　受験者の中には、試験中に、プレッシャーや焦りで実力を出し切れないケースもあるかと思います。その場合、有効な対策のひとつが、「消極的な言動を避ける」ことです。

　わからない問題があっても、「もうだめだ」「何でこんなのがわからないんだ」「最低」などとネガティブなことを考えてしまったり、頭をかきむしったり、貧乏ゆすりをしたりすると、負の連鎖を生んで余計にパニックに陥ってしまいます。

　「次の問題に集中だ」「ドンマイ。次、次」「分からない問

1. 『エンジェルクエスト』とは何ですか。

　(A) TVアニメシリーズ
　(B) コミック本
　(C) 映画
　(D) 子供の玩具

2. 従業員が残業したい場合、どうすればいいですか。

　(A) 上司に告げる
　(B) 応募用紙を埋める
　(C) オーナーに話をする
　(D) 同僚と相談する

題があるのは当然だ。わかる問題をしっかり拾っていこう」と、ポジティブな言葉を自分にかけて、深呼吸をして、動作をゆっくりにすることを心がけましょう。焦っても結果がよくなるわけではありませんから。

　また、時間管理を行い、心の余裕を持って試験に臨むことも大切です。「パート5・6を20分で終わらせて、14時5分からパート7に取り組んで、14時35分にはダブルパッセージを始める」など、自分なりの目安をあらかじめ頭に入れて試験に臨みましょう。

Questions 3-4 refer to the following article.

It has been thirty years since Frederick Hobbs bought a small piece of land and an old house in the middle of nowhere. Back then the property cost a mere 11 thousand pounds, a tenth of what it is worth today. And the closest city, still with a population under 20 thousand, was 38 miles away. Even though Hobbs assured his friends he would turn the house into a successful business, in a recent interview for *Maxwell Magazine* he jokingly recalled many of them thinking he had gone mad. Hobbs, however, was not mad at all. Within a year he turned the rundown house into a 17-room inn. Naming it Grassy Meadows and advertising it in a magazine for outdoors enthusiasts, the inn soon became a popular spot for Londoners wanting a break from the city's fast pace without having to travel too far. These days, even though the road to the inn from the nearest town Carnesville has still not been paved, the now 26-room inn is nearly always fully booked for several months in advance, proving that with an idea and enthusiasm, a business can become successful nearly anywhere.

3. What did Frederick Hobbs do first after buying the land?

   (A) Remodeled the house
   (B) Placed an ad in a magazine
   (C) Asked for donations from his friends
   (D) Paved the road to the inn

4. What can be inferred about Grassy Meadows?

   (A) It is now connected with Carnesville by a paved road.
   (B) It is not at a great distance from London.
   (C) It is popular among people living in rural areas.
   (D) It has been operating for more than thirty years.

3. 正解 (A)

物件購入後、最初にやったのは Within a year he turned the rundown house into a 17-room inn. (13〜14行目)。これは (A) Remodeled the house に対応している。

😊 (B) Placed an ad in a magazine は、改装が終わったあとですね。

😃 うん。それから、(C) Asked for donations from his friends や (D) Paved the road to the inn は、やっていない。

😊 本文で彼の友達のことに触れたり、pavedって単語が出てきたりしますけど、これは読解力を試すひっかけです。クリアできましたか？

4. 正解 (B)

　Grassy Meadows はホテル (inn) の名前。 このホテルに関して本文の内容と合うものを選ぶ。16～19行目の the inn soon became a popular spot for Londoners wanting a break from the city's fast pace without having to travel too far. からロンドンから遠くないことがわかるので、(B) が正解。

😀 without having to travel too farっていうことは、あまり遠くないってことになる。

😃 そうですね。それが選択肢の not at a great distance に対応しています。

😀 この問題は 答えが見つけにくかったかも。

😃 最寄りの町までの道路はいまだに舗装されていないし、 ロンドンの人の保養地として人気で、30年前に土地と建物を買って改装した後に創業したということなので、他の選択肢は不正解です。

1回目	月	日	2回目	月	日	3回目	月	日
正解数　　タイム　　分　　秒			正解数　　タイム　　分　　秒			正解数　　タイム　　分　　秒		

問題3~4は次の記事に関するものです。

フレデリック・ホッブズが、何もない場所にある小さな土地と古い家を購入してから30年が経った。当時、その不動産はわずか1万1千ポンドで、今の10分の1の価値しかなかった。そこから一番近い町は、今でも人口2万人以下で、38マイル離れていた。ホッブズはその家を使った事業を成功させると友人たちに断言したが、マックスウェル誌の最近のインタビューで彼が冗談交じりに振り返ったように、友人の多くは彼が正気を失ったのではないかと思っていた。ところが、ホッブズは正気を失ったなどということはまったくなかったのである。1年もたたないうちに彼は荒れはてたその家を17部屋のホテルに変えた。グラシーメドウズと名づけ、アウトドア派の雑誌で広告を出すと、あまり遠くに出かけずに都会の喧騒（けんそう）から離れてリラックスしたいと思っているロンドンの人々の間でたちまち人気スポットとなった。最寄りの町カーネスビルからの道は今でもまだ舗装されていないが、今や26部屋になったホテルは、最近では、大抵数カ月前から予約で満室になる。これはアイデアと情熱さえあれば、ビジネスはどんな場所でも成功できるということを証明している。

3. フレデリック・ホッブズは土地を購入後、最初に何をしましたか。

   (A) 家を改装した。
   (B) 雑誌に広告を出した。
   (C) 友人から寄付を募った。
   (D) ホテルまでの道路を舗装した。

4. グラシーメドウズについて何がわかりますか。

   (A) 今はカーネスビルと舗装道路でつながっている。
   (B) ロンドンからそれほど離れてはいない。
   (C) 田舎に住んでいる人々の間で人気になっている。
   (D) 30年以上営業している。

Questions 5–6 refer to the following review.

review

If you liked the film *Run South*, don't miss *Clouds of the Storm*, an earlier novel by Stan Bisbee now being shown on the big screen.

"Fans of *Run South* feel they're on familiar ground," according to award-winning director Mick Steward, who brought both Bisbee books to film. "The story concerns a secret society, a cleverly creative villain, and nonstop adventure mixed with a mystery that must be solved in a race against time."

Clouds of the Storm brings back adventurer Murdock Leonard as a younger man, played again by Han Waitsfield, who also narrates the film. As the film begins, Leonard finds himself trapped in a wooden box in a field in Uganda. Only remembering waking up sometime earlier in his New York City apartment for breakfast, Leonard must quickly find out why he was brought there and who is chasing him.

Leonard meets Wendy Fine, world traveler and treasure hunter, played by Lucy McGuire, who reveals Leonard's purpose for being in Africa during the roller-coaster plot that unfolds.

Through seven countries on three continents and with enough shady characters and fast-paced storytelling to keep you on the edge of your seat, this film will not disappoint. And Bisbee fans will also be very satisfied with how well Steward brings to life pages from the novel and how accurately the actors play their characters. *Clouds of the Storm* is sure to be this year's top summer hit and should not be missed.

---

5. Who is the narrator in the film?

(A) Lucy McGuire

(B) Mick Steward

(C) Han Waitsfield

(D) Stan Bisbee

6. What is indicated about the film?

(A) It is mainly about the beauty of African nature.

(B) It is soon coming to theaters this summer.

(C) It is based on an award-winning novel.

(D) It is a work by the director of *Run South*.

5. 正解 (C)

narratorがキーワード。第3段落3行目のHan Waitsfield, who also narrates the film. から、Han Waitsfieldがナレーターであることがわかる。よって、(C)が正解。

😀 質問中のnarratorは名詞。これが本文のnarratesという動詞に対応している。

😎 この手の映画のレビューも年に1回程度忘れた頃に出題されます。

😀 この映画、ちょっと面白そうだよね。TEXさん、一緒に見に行かない？

😎 いや、遠慮させていただきます。

6. 正解 (D)

第1段落の If you liked the film *Run South*, don't miss *Clouds of the Storm*, an earlier novel by Stan Bisbee now being shown on the big screen. から、*Run South* と *Clouds of the Storm* は同じ作家（Stan Bisbee）による小説に基づく映画であることがわかる。また、第2段落1～4行目の "Fans of *Run South* feel they're on familiar ground," according to award-winning director Mick Steward, who brought both Bisbee books to film. から、この2作品が同じ監督（Mick Steward）によって作られたものであることがわかる。よって、(D) が正解。

> 同じ監督の作品であることが間接的に示されているので、答えを見つけるのが難しいかもしれません。ハイレベルな問題です。

> うん、これはちりばめられた情報を関連づけて答えを導く問題だね。

1回目	月 日	2回目	月 日	3回目	月 日
正解数　　タイム　　分　　秒		正解数　　タイム　　分　　秒		正解数　　タイム　　分　　秒	

問題5〜6は次のレビューに関するものです。

もしあなたが映画『南へ走れ』が好きなら、『嵐の雲』を見逃してはいけない。スタン・ビズビーのより初期の小説をもとにしたこの映画は、今劇場で公開中だ。

「『南へ走れ』のファンにはおなじみの舞台設定だ」と語るのは、ビズビーの両作品を映画化した受賞歴のある映画監督ミック・スチュワードだ。「ストーリーには秘密社会、ずるがしこく創造的な悪役、ノンストップアドベンチャーに、時間との戦いの中で解かなければいけない謎が織り交ぜられている」

『嵐の雲』は、冒険者マードック・レオナルドの若き日にさかのぼる。演じるのは再びハン・ウェイツフィールドで、彼が映画のナレーションも担当している。映画が始まると、レオナルドは、ウガンダの野原に置かれた木の箱の中に閉じ込められていることに気づく。ニューヨークの自宅マンションで朝食を食べるために目覚めたところまでの記憶しかなかったが、レオナルドは、なぜ彼がウガンダに連れてこられ、誰が彼を追っているのかを素早く解明しなければならなかった。

レオナルドは、ルーシー・マグワイア演じる世界を旅するトレジャーハンター、ウェンディ・ファインと出会い、めまぐるしく展開されるストーリーの中、彼がなぜアフリカにいるのかを彼女から明らかにされる。

3大陸にまたがる7カ国を舞台にして、数々の怪しげな登場人物と身を乗り出さずにはいられないスピード展開のストーリーで、この映画は期待を裏切らないはずだ。ビズビーのファンは、スチュワードが小説の世界をうまく実写化し、役者が小説の登場人物を正確に演じていることにも大満足するだろう。『嵐の雲』は今夏一番のヒット作で見逃せない作品になるはずだ。

5. 映画のナレーターは誰ですか。

   (A) ルーシー・マグワイア
   (B) ミック・スチュワード
   (C) ハン・ウェイツフィールド
   (D) スタン・ビズビー

6. 映画についてどんなことが示されていますか。

   (A) 主にアフリカの美しい自然についてである。
   (B) 今夏もうすぐ劇場で公開される。
   (C) 賞を受賞した小説に基づいている。
   (D) 『南へ走れ』の監督の作品である。

Questions 7–9 refer to the following instructions.

GETTING YOUR SOLAR LAMP GLOWING

You have purchased a Solar Lamp for your garden or yard. And with all-night lighting, uncomplicated installation, and no annoying wires, you made the right landscaping choice! Now all you need to do to get your lamp glowing is follow the simple instructions below.

What you need to do:
Each lamp comes with photo sensor, ground stake, two solar panels and two rechargeable batteries. To assemble, insert batteries at back of lamp. Next, slide solar panels into slots marked SP at sides of lamp. Attach photo sensor to lamp top by turning it clockwise over red circle.

What next?
Your Solar Lamp should be placed out of the shade and where it can collect enough of the sun's rays. The sensor will automatically detect dusk or dawn and will turn on or off accordingly. The lamp can be affixed to a tree or post, or mounted on the stake, which can be pressed into soft earth.

7. For whom are these instructions probably intended?

(A) A purchaser

(B) A manufacturer

(C) A technician

(D) A retailer

8. What are readers instructed to do first with the lamp?

(A) Place it out of the shade

(B) Insert batteries at the back of the lamp

(C) Slide solar panels into slots

(D) Attach the photo sensor to the top

9. The word "assemble" in paragraph 2, line 3, is closest in meaning to

(A) set up

(B) pick up

(C) take place

(D) come along

7. 正解 (A)

冒頭の You have purchased a Solar Lamp for your garden or yard. から、この説明書が Solar Lamp を購入した人向けのものであることがわかる。また、全体の内容も一般消費者向けの基本事項の説明になっている。よって、(A) A purchaser が正解。

- 商品を purchase (購入) した人だから purchaser ですね。
- そう、purchase は TOEIC で頻出だけど、purchaser はあまり見かけない。
- 内容的に、他の3つの選択肢のような専門家に向けたものではありませんね。PC ソフトの購入者向けの説明書で同様の問題が出題されたことがあります。

8. 正解 (B)

What you need to do: の段落で、最初のステップは To assemble, insert batteries at back of lamp. と説明されている。よって、(B) Insert batteries at the back of the lamp が正解。

- 本文では at back of lamp となっていて、the が使われていないけど、選択肢では at the back of the lamp と the が2回使われている。
- あ、ほんとだ。気づかなかった。微妙に違うんですか？

👦 本来なら the があるはずなんだけど、手順の説明などでは省略されることがよくある。

9. 正解 (A)

第2段落3行目で assemble は To assemble, insert batteries at back of lamp. という文中で使われている。「組み立てる」という意味なので (A) set up と意味が一番近い。

😊 工場の組み立てラインは assembly line ですね。パート5で見たことあります。

👦 うん。あと、assemble には「(人が) 集まる」という意味もある。だから名詞の assembly は「議会」という意味もある。

問題7〜9は次の説明書に関するものです。

「ソーラーランプ」を灯しましょう

「ソーラーランプ」を、前庭または裏庭用にご購入いただきましたが、ひと晩中点灯し、取りつけも簡単、面倒な配線も不要ですから、お客様は庭作りのための正しい選択をされました。ランプを点灯するにあたっては、以下の簡単な説明に沿っていただくだけです。

はじめに必要なこと
それぞれのランプには、フォトセンサー、杭、2枚のソーラーパネルと2個の充電池が付属しています。組み立てるには、まず、ランプ背面に電池を入れてください。続いて、ソーラーパネルをランプ側面のSPと印された溝に差し入れてください。赤い丸印の上でフォトセンサーを時計回りに回して、ランプの上面に取りつけてください。

次は？
「ソーラーランプ」は、十分に太陽光を集光できる、日陰にならない場所に置いてください。センサーが自動的に夕暮れや夜明けを探知して、自動に点いたり消えたりします。ランプは、木や柱、または付属の杭（柔らかい地面に差し込み可能）の上に取りつけることができます。

7. この説明書は誰に向けてのものだと思われますか。

   (A) 購入者
   (B) 製造者
   (C) 技術者
   (D) 販売者

8. 読み手は最初にランプに何をするよう指示されていますか。

   (A) 日陰の外に置く
   (B) ランプの背面に電池を差し込む
   (C) 溝にソーラーパネルを差し入れる
   (D) フォトセンサーを上面に取りつける

9. 第2段落3行目の assemble に最も近い意味の語は

   (A) set up 「組み立てる」
   (B) pick up 「拾い上げる」
   (C) take place 「起こる」
   (D) come along 「現れる」

Questions 10–12 refer to the following e-mail.

To: Clifford Randall
From: Marcus Barker
Subject: Apology
Date: February 18

Dear Mr. Randall:

I apologize for not contacting you sooner about the extension and understand you have been waiting to hear from us since our January meeting three weeks ago. We did try sending you an e-mail immediately after the meeting, but after getting your message yesterday, we realized you didn't get it. I looked into this and found that when renovations were being done at our office from mid-January to early February, we had several problems with our server, and e-mails that we thought were being sent were actually being lost. Along with the message we tried sending you was a draft of the estimate, which you can find attached to this message. After you go over it, please phone me at 555-0942 and let me know if you find the price agreeable. And once we settle on that, I will come by your place with a copy of the contract. Again, I'm sorry for the delay in the matter and hope you're still interested in having the extension built in March.

Marcus Barker

10. According to the e-mail, what did Marcus Barker try to do in January?

  (A) Fix the server used in his office
  (B) Call Clifford Randall several times
  (C) Send Clifford Randall an estimate
  (D) Finish renovations of an office

11. What is included with the e-mail?

  (A) An estimate
  (B) A contract
  (C) A letter of apology
  (D) A renovation schedule

12. What is Clifford Randall asked to do?

  (A) Wait for a phone call from Marcus Barker
  (B) Let Marcus Barker know if he agrees to the price
  (C) Verify that he has received both e-mails
  (D) Sign a contract by the end of the week

10. 正解 (C)

このメールは、Marcus Barker が Clifford Randall に送ったもの。3〜5行目に、our January meeting three weeks ago. We did try sending you an e-mail immediately after the meeting とあるので、彼がメールを送ろうとしていたことがわかる。また、Along with the message we tried sending you was a draft of the estimate…（12〜13行目）から、そのメールと一緒に見積もりの原案を送ろうとしていたことがわかる。よって、(C) が正解。

- この問題は、書き手と受け手が誰かをチェックする必要があるね。
- そうですね。メールや手紙などで人名が出てくる問題は、そこから始めると解きやすいです。
- メールの場合、To:「宛先」や From:「送信者」を見ればいい。手紙も同様に型が決まっているから、慣れていればすぐわかる。

11. 正解 (A)

このメールに含まれているものを探す。12〜14行目の Along with the message we tried sending you was a draft of the estimate, which you can find attached to this message. から、送れなかった見積もりの原案がこのメールに添付されていることがわかる。よって、(A) が正解。

150

> includeは、メールや手紙だと、attach「添付する」の同義語にもなるよね。

> ええ、どちらも一緒に送るという感じです。

12. 正解 (B)

メールの受け手のClifford Randallが頼まれていることが問われている。15～16行目のplease phone me at 555-0942 and let me know if you find the price agreeable. で、電話をしてその値段でよいか知らせるように頼んでいる。よって、(B) が正解。

> 書き手が受け手に頼んでいることはpleaseがヒントになりますね。

> そう。人に何か頼むときってpleaseを使うからね。

> 具体的に「こうしてください」という要望は、文書の後半に出てくる傾向があります。英文の場合、冒頭と最後に大事なことが書かれていることが多いので、本番でもこの部分は特にしっかり読んでください。

1回目			2回目			3回目		
	月	日		月	日		月	日
正解数	タイム 分	秒	正解数	タイム 分	秒	正解数	タイム 分	秒

問題10〜12は次のメールに関するものです。

宛先：クリフォード・ランダル
送信者：マーカス・バーカー
件名：お詫び
日付：2月18日

ランダル様

増築に関してのご連絡が遅くなって申し訳ありません。3週間前の1月のミーティングからずっと我々からの返事をお待ちだったことを知りました。ミーティングの後すぐにメールをお送りしたつもりだったのですが、昨日メッセージをいただいて、メールが届いていなかったことがわかりました。原因を調べたところ、1月中旬から2月初旬にかけてわれわれのオフィスの改装工事を行った際、サーバーに何度か不具合があり、送ったつもりでいたメールが実際には紛失していたことが判明しました。そのメッセージに添付して送ろうとしていた見積もりの原案をこのメッセージに添付しますのでご確認ください。見積もりに目を通されましたら、私宛、555-0942にお電話でこの価格に合意いただけるかどうかお知らせください。価格の確認がとれましたら、契約書の写しを持ってそちらに寄らせていただきます。ご連絡が遅れたこと、重ねてお詫び申し上げるとともに、3月の増築の件、引き続き前向きにご検討いただければ幸いです。

マーカス・バーカー

10. メールによると、マーカス・バーカーは１月に何をしようとしましたか。

   (A) 自分のオフィスのサーバーを修理する
   (B) クリフォード・ランダルに何度か電話する
   (C) クリフォード・ランダルに見積もりを送る
   (D) オフィスの改装工事を終える

11. メールに何が添付されていますか。

   (A) 見積もり
   (B) 契約書
   (C) 謝罪の手紙
   (D) 改装スケジュール

12. クリフォード・ランダルは何を依頼されていますか。

   (A) マーカス・バーカーからの電話を待つ
   (B) 価格に同意しているかマーカス・バーカーに知らせる
   (C) 自分宛のメールを２通とも受け取ったことを確認する
   (D) 週末までに契約書にサインする

Questions 13–15 refer to the following advertisement.

GRAND PEGASUS HOTEL

The 22-story Grand Pegasus Hotel located in the heart of Miami offers all the amenities for making your business trip more comfortable, convenient and productive. Located for your convenience just twelve miles from Miami International Airport, we are the ideal accommodation for the business traveler. With a complimentary airport shuttle taking guests twice an hour between airport and hotel, wireless Internet access (surcharge applies) available in the hotel lobbies, business center and restaurants, and our pool and fitness club open around the clock, the Grand Pegasus is your top-choice destination for both business and enjoyment.

BUSINESS CENTER: Offers copying, faxing, printing and shipping services as well as high-speed, wireless Internet access; fees apply. The Grand Pegasus has 82,000 square feet of meeting and event space, including a ballroom for 2,500 guests, and provides a full spectrum of catering, staffing and audio-visual equipment services to meet all your event needs.

Upgrading Your Business Trip

Room Amenities

- Internet access (surcharge applies)
- Complimentary newspaper
- Voice mail
- Desk
- Clock radio
- Coffee / tea maker
- Electronic check-out
- Electronic keys

Note

- Smoking is allowed in designated outdoor areas only.
- Children ten years and under are not permitted in pool without adult supervision.
- Check-in time is 3 P.M.
- Check-out time is noon.

13. For whom is this advertisement most likely intended?

(A) School groups
(B) Flight attendants
(C) Business people
(D) Foreign tourists

14. According to the advertisement, what is NOT provided for free at the hotel?

(A) The airport shuttle
(B) The Internet service
(C) The newspaper
(D) The swimming pool

15. What is indicated about the hotel?

(A) Smoking is permitted only in designated areas inside the hotel.

(B) The fitness club is open twelve hours a day.

(C) The airport shuttle leaves the airport twice daily.

(D) A ten-year-old child can enter the pool with a parent.

13. 正解 (C)

making your business trip more comfortable（第1段落2～3行目）や the ideal accommodation for the business traveler（第1段落6～7行目）などの表現から、この広告がビジネス客をターゲットにしたものであることがわかる。よって、(C) Business people が正解。

😀 「誰に向けて書かれたものか」という問題は、全体の内容を大まかに把握して解く。

😎 そうですね、「こういうことが書かれているからこういう人が対象だろう」と読み取る力が試されます。

😀 あと、文中で使われるキーワードも手がかりになる。この問題だと business trip とか business traveler などがそう。

14. 正解 (B)

無料でないものが問われている。第1段落9行目の wireless Internet access (surcharge applies) や第2段落2～3行目の wireless Internet access; fees apply. からインターネットが有料であることがわかるので、(B) が正解。

😎 airport shuttle と newspaper は、共に complimentary と書かれているので無料とわかりますが、プールは無料って書いてないですよね。

うん、でも our pool and fitness club open around the clock; (第1段落11〜12行目) から、なんとなく無料っていう感じがしない？

うーん。まあでもインターネットは有料ってことが明示されてますもんね。本文に書かれている情報から正解を導くのが鉄則です。

15. 正解 (D)

Note の項に Children ten years and under are not permitted in pool without adult supervision. とある。これは、10歳以下でも保護者同伴ならプールを利用できることを意味するので、(D) の内容と一致する。

こういう欄外の情報が解答に絡む問題、結構あるよ。

特に最近目立つ気がします。メールの一番最後の行に書かれた差出人の肩書が答えにつながった問題もありましたからね。最後まで気が抜けません。

1回目	月	日	2回目	月	日	3回目	月	日
正解数	タイム 分 秒		正解数	タイム 分 秒		正解数	タイム 分 秒	

問題13〜15は次の広告に関するものです。

グランドペガサスホテル
あなたの出張をより快適に

マイアミの中心地にある22階建てのグランドペガサスホテルには、あなたの出張をより快適で便利で生産性の高いものにするためのあらゆる設備がそろっています。マイアミ国際空港からわずか12マイルの便利な場所にあり、ビジネス旅行者には理想的な宿泊施設です。1時間に2回お客様をホテルと空港にお運びする無料シャトルバス、ロビー、ビジネスセンター、レストラン内でつながる無線インターネットアクセス（別料金）、24時間営業のプールとフィットネスクラブなどのサービスを持つグランドペガサスはビジネスと娯楽のどちらの目的にも最適な場所です。

ビジネスセンター：コピー、ファックス、印刷、配送サービス、高速無線インターネットアクセス（有料）を提供。グランドペガサスには2500人収容の大ホールを含む82000スクエアフィートの会議・イベントスペースがあります。そしてあらゆるイベントニーズに対応した、ケータリング、人材派遣、視聴覚機材等、一連のサービスもご提供いたします。

客室設備：
インターネットアクセス（別料金）
無料の新聞
ボイスメール
机
タイマー時計つきラジオ
コーヒー/紅茶メーカー

電子チェックアウト
電子キー

注意：
喫煙は館外の指定の場所のみ可。
10歳以下の子供は、親の付き添いなしでのプール入場不可。
チェックインは午後3時以降。
チェックアウトは正午まで。

13. この広告は主に誰を対象にしていると思われますか。

　　(A) 学校団体
　　(B) 客室乗務員
　　(C) ビジネスパーソン
　　(D) 外国人旅行者

14. 広告によると、ホテルで無料で提供されていないものは何ですか。

　　(A) 空港シャトルバス
　　(B) インターネットサービス
　　(C) 新聞
　　(D) スイミングプール

15. ホテルについて何がわかりますか。

　　(A) 喫煙は館内の指定の場所のみで許されている。
　　(B) フィットネスクラブは1日12時間営業している。
　　(C) 空港シャトルバスは1日2回出発している。
　　(D) 10歳の子供は親同伴でプールに入れる。

Questions 16–19 refer to the following announcement.

Jacksonville Port Restaurant's 100th Year

We are excited to invite our guests to join us for some very special times in celebration of the Jacksonville Port Restaurant's centennial anniversary from Wednesday, August 3 to Saturday, August 6. During this time, live music and other entertainment will be featured nightly in our main dining room as well as on our terrace overlooking the Jacksonville River and Port.

Originally established as the port's pub in the late 1800s, the building evolved into one of Louisiana's finest and most celebrated dining establishments. Today, restaurant owner Guy Frederic is pleased to unveil the restaurant's upcoming schedule for its week of celebration.

On Wednesday, Chef Gregory Madden will hold a cooking demonstration from 5 p.m. before the Bankstring Band takes some of Louisiana's best blues to the stage. The band will perform inside every night while Clive Hanley serenades the outdoor terrace with jazz and his guitar. On Saturday, Pastry Chef Melanie Carter will show guests how to prepare a selection of the restaurant's signature desserts followed by a wine and champagne party to toast the establishment's birthday.

For details and reservations, contact the Jacksonville Port Restaurant at 555-2034.

16. What is the announcement mainly about?

(A) A reopening

(B) A review

(C) A discount

(D) An anniversary

17. What is scheduled for August 3?

(A) A cooking show

(B) A free buffet

(C) A wine seminar

(D) A champagne toast

18. What is indicated about the restaurant?

    (A) It is next to a lake.

    (B) It will have a one-week event.

    (C) It has recently reopened.

    (D) It has a seating area outside.

19. Who owns the Jacksonville Port Restaurant?

    (A) Melanie Carter

    (B) Gregory Madden

    (C) Clive Hanley

    (D) Guy Frederic

16. 正解 (D)

見出しの Jacksonville Port Restaurant's 100th Year や第1段落1〜4行目の We are excited to invite our guests to join us for some very special times in celebration of the Jacksonville Port Restaurant's centennial anniversary から、このお知らせが開店記念日に関するものであることがわかる。よって、(D) が正解。

- centennial anniversary は100周年記念という意味。
- そうですね、centは100を表します。centuryとかpercentとか。

17. 正解 (A)

August 3がキーワード。第1段落2〜4行目の celebration of the Jacksonville Port Restaurant's centennial anniversary from Wednesday, August 3から、この日が水曜日であることがわかる。また、第3段落1〜2行目の On Wednesday, Chef Gregory Madden will hold a cooking demonstration から、水曜日に調理実演があることがわかる。よって、(A) が正解。

- 答えを出すのに必要な情報が2箇所に分散していますね。
- うん、別の場所にある情報を関連づける必要がある。
- このパッセージの中では一番難しい問題です。

18. 正解 (D)

このレストランにテラスがあることが第1段落7行目の on our terrace や第3段落6行目の the outdoor terrace からわかる。テラスは屋外なので (D) It has a seating area outside. といえる。

― 質問の indicate は「述べる」という意味。
― はい、でも文脈によっては「指す」や「示す」の意味にもなりますね。

19. 正解 (D)

owns がキーワード。第2段落4行目の restaurant owner Guy Frederic から、この人物がレストランのオーナーであることがわかる。よって、(D) が正解。

― これは解きやすかったと思います。
― そうだね、検索がしやすい。不正解の選択肢で挙げられている人名も本文中に出てくるけど、何をする人かはっきり示されているので、落ち着いて読めば間違えない。本番ではこういうやさしめの問題で時間を節約したいところ。

1回目	月	日	2回目	月	日	3回目	月	日
正解数　タイム　分　秒			正解数　タイム　分　秒			正解数　タイム　分　秒		

問題16〜19は次のお知らせに関するものです。

ジャクソンビル・ポート・レストラン100周年

8月3日（水）から8月6日（土）にかけて開催される、ジャクソンビル・ポート・レストランの100周年を祝う特別なイベントに、お客様をご招待いたします。この期間中、メインのダイニングルームと、ジャクソンビル川と港を見下ろすオープンテラスでは、毎夜、生演奏やその他の催し物が行われます。

1800年代後半、港のパブとして出発したこの場所は、今やルイジアナでも有数の高級かつ有名なレストランとなりました。今日、レストランのオーナーであるガイ・フレデリックは、記念週間のレストランのスケジュールを発表いたします。

水曜日には、シェフのグレゴリー・メイデンが午後5時から料理のデモを行います。続いて、バンクストリング・バンドが、ルイジアナのブルースをステージでお届けします。店内で毎夜このバンドが演奏する一方、クライブ・ヘンリーが、外のテラスでジャズとギターによるセレナーデを奏でます。土曜日には、ケーキ職人のメラニー・カーターがレストラン特製のデザートのいくつかの作り方をお客様にお見せし、続いて、レストランの記念日をお祝いするワインとシャンパンパーティーが開催されます。

詳細と予約は、ジャクソンビル・ポート・レストラン、555-2034にご連絡ください。

16. お知らせは主に何についてですか。

　　(A) 新装開店
　　(B) レビュー
　　(C) 割引
　　(D) 記念日

17. 8月3日に何が予定されていますか。

　　(A) 料理ショー
　　(B) 無料の食事会
　　(C) ワインセミナー
　　(D) シャンパンによる乾杯

18. レストランについて何がわかりますか。

　　(A) 湖の隣にある。
　　(B) 1週間のイベントを開催する。
　　(C) 最近新装開店した。
　　(D) 外に座席がある。

19. ジャクソンビル・ポート・レストランは誰が所有していますか。

　　(A) メラニー・カーター
　　(B) グレゴリー・メイデン
　　(C) クライブ・ヘンリー
　　(D) ガイ・フレデリック

Questions 20–23 refer to the following letter.

Monday, October 31

Dear Mr. Watson:

Thank you for spending some of your valuable time attending my lecture in Melbourne last month. It was a pleasure to speak with you after the lecture about your new business. I am very sorry for this late reply. After leaving Australia, I went to Tokyo, Seoul and Beijing to do a series of business presentations and did not have a spare moment to reply to you.

I am very interested in your offer and would like to discuss the possibility of going over it further with you. I am now in Singapore and will be here until the end of the week, at which time I will be flying to Bali for a ten-day vacation with my family. I will be back in Melbourne, however, on December 6 and would like to meet with you at some point after that and before the end of the year. I would also appreciate seeing a draft of your business plan, including a proposed schedule and an estimate on startup costs. You can bring it to our meeting.

Please let me know the date, place and time of the meeting by e-mail.

I look forward to hearing from you soon.

Sincerely,

Robert Barnegat

Robert Barnegat

20. What did Robert Barnegat do in Seoul?

    (A) He attended an international convention.

    (B) He gave a business presentation.

    (C) He took a vacation with his family.

    (D) He drafted proposals for Mr. Watson.

21. Where did Robert Barnegat meet Mr. Watson?

    (A) Singapore

    (B) Beijing

    (C) Melbourne

    (D) Tokyo

22. Why has Robert Barnegat been unable to reply to Mr. Watson?

   (A) He has been on vacation with his family.

   (B) He has been on business trips in Asia.

   (C) He has been waiting for a production estimate.

   (D) He has been busy preparing for some lectures.

23. When does Robert Barnegat want to discuss business with Mr. Watson?

   (A) October

   (B) November

   (C) December

   (D) January

20. 正解 (B)

　この手紙の書き手であるRobert BarnegatがSeoulでしたことが問われている。Seoulをキーワードに検索すると第1段落6〜7行目にI went to Tokyo, Seoul and Beijing to do a series of business presentationsが見つかる。ここから彼がソウルでビジネスプレゼンテーションをしたことがわかるので、(B)が正解。

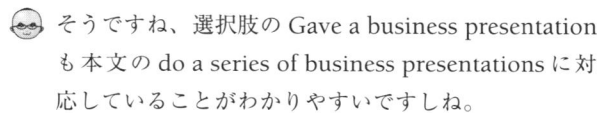

😊 Seoulを手がかりに探すと答えが見つけやすい。

😆 そうですね、選択肢のGave a business presentationも本文のdo a series of business presentationsに対応していることがわかりやすいですしね。

21. 正解 (C)

第1段落1〜4行目の Thank you for spending some of your valuable time attending my lecture in Melbourne last month. It was a pleasure to speak with you after the lecture about your new business. から、彼らが (C) Melbourne で会ったとわかる。

- Mr. Watson は Robert Barnegat の講演を聞きに行って、その後直接話したということは、そこで会ったってことになる。
- speak with you が meet に対応しています。
- それでその講演会が行われたのが Melbourne だからそれが答えになる。

22. 正解 (B)

　Robert Barnegat は第1段落の後半で返事が遅れたことを謝った後、理由を説明している。After leaving Australia, I went to Tokyo, Seoul and Beijing to do a series of business presentations and did not have a spare moment to reply to you. と述べているので (B) が正解。

😎 did not have a spare moment to reply to you ってずいぶん忙しそうですね。

🧑 うん、返事を書くほんの短い時間もなかったっていうことだね。

😎 spare は動詞にもなって、spare some time で「時間を割く」という意味になります。合わせて覚えておきたい表現です。

23. 正解 (C)

　書き手の Robert Barnegat が商談を希望している時期は、第2段落6〜9行目の I will be back in Melbourne, however, on December 6 and would like to meet with you at some point after that and before the end of the year. から12月であることがわかる。よって、(C) が正解。

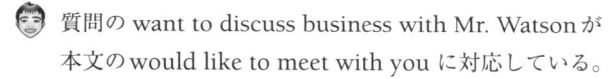

😀 質問の want to discuss business with Mr. Watson が本文の would like to meet with you に対応している。

😎 December 6に戻ってきて、at some point after that and before the end of the year に会いたいということは12月中ということになりますね。「いつ誰がどこで何をなぜ」という全体の流れがしっかり把握できていれば3問とも解ける問題です。

問題20〜23は次の手紙に関するものです。

10月31日（月）

ワトソン様

先月は、貴重なお時間を割いてメルボルンでの私の講演にご参加いただきありがとうございました。講演の後、あなたの新しいビジネスについてのお話、楽しく拝聴しました。ご返事が遅くなって申し訳ありません。豪州を発ってから、ビジネスプレゼンで東京、ソウル、北京を続けて訪問したため、ご返事する時間がありませんでした。

あなたからの申し出には大変興味がありますので、先に進められるかの可能性について打ち合わせさせていただきたく存じます。今私はシンガポールに滞在しており、今週末までここにいます。週末には家族と10日間の休暇を過ごすため、バリへ発つ予定です。ですが、12月6日にはメルボルンに戻る予定ですので、そこから年末までの間のどこかでお会いできればと思います。ご希望のスケジュールと初期費用が入ったビジネスプランの草案を見せていただけるとありがたいです。ミーティングにご持参ください。

メールにて、ミーティングの希望日、場所、時間をお知らせください。

ご連絡お待ちしています。

敬具

ロバート・バーニガット

20. ロバート・バーニガットはソウルで何をしましたか。

   (A) 国際会議に参加した
   (B) ビジネスプレゼンテーションを行った
   (C) 家族と休暇を過ごした
   (D) ワトソンさんへの提案書の草案をまとめた

21. ロバート・バーニガットはワトソン氏にどこで会いましたか。

   (A) シンガポール
   (B) 北京
   (C) メルボルン
   (D) 東京

22. なぜ、ロバート・バーニガットはワトソン氏に返事できなかったのですか。

   (A) 家族と休暇中だったため。
   (B) アジアに出張中だったため。
   (C) 製造見積もりを待っていたため。
   (D) 講義の準備で忙しかったため。

23. ロバート・バーニガットはいつワトソン氏とビジネスについて打ち合わせしたいのですか。

   (A) 10月
   (B) 11月
   (C) 12月
   (D) 1月

Questions 24–28 refer to the following report.

This is a summary report for yesterday's board meeting regarding our Web site.

- **COMPANY PROFILE**

The page design is attractive and well laid out for customers to easily find information. Written both clearly and concisely, the company history includes all relevant information. The story tracing the company's past from its foundation to the present attracts interest and leaves a strong impression. Overall, we do not need to change this section.

- **RECRUITMENT**

Information on this page must stay current. There are four security positions still listed as open, even though they have already been filled. Also, the openings for the marketing manager positions, listed in the newspaper two weeks ago, have not been uploaded to the Web site. The communications department should be maintaining steady cooperation with personnel in promptly addressing issues such as these.

- **CONTACT INFORMATION**

Despite the idea being rejected in a board meeting last year, we now feel a customer feedback form needs to be added to this section. With the form, we will be able to know where our customers' needs lie in order to quickly respond to them. Once the form has been approved and is part of the site, all feedback will be sent directly to the customer service manager Shutaro Ishino (Ishino@arlco.tex.com).

The communications department will look into the above issues, discuss them, and send Shutaro Ishino and me a plan for the site's next redesign. We all know that for many of our customers, the Web site is where they first receive impressions about us, and with this in mind a thoroughly considered plan is needed by the end of next week.

Emilio Hernandez
Arlco Texas Ltd.
General Affairs

24. What is the purpose of the report?

(A) To propose a new Web site plan

(B) To reject modifications to a Web site

(C) To report results from a meeting

(D) To request a budget for Web site redesign

25. According to the report, what information is accurate on the Web site?

(A) The corporate history

(B) The sales figures

(C) The job openings

(D) The contact number

26. What can be inferred about the customer feedback form?

(A) It will lower the workload of the sales division.

(B) It has been added to the company's Web site.

(C) It will be modified by the customer service manager.

(D) It was discussed in a board meeting last year.

27. In the report, what position is mentioned as still being open?

(A) Security engineer
(B) Customer service representative
(C) Marketing manager
(D) Web site designer

28. What will happen by the end of next week?

(A) A plan will be drafted.
(B) A Web site will be launched.
(C) A board meeting will take place.
(D) A form will be added.

24. 正解 (C)

冒頭、This is a summary report for yesterday's board meeting regarding our Web site. とあり、それに続く部分で yesterday's board meeting で話し合った内容を伝えている。よって、(C) To report results from a meeting が正解。

- この問題、初めの1文を見ただけで答えを選べますかね？
- そうねえ、まあ、選ぼうと思えば、何とかなる。a summary report の目的って、To report〜なのが普通だから。meetingっていう語も2行目に出てきているしね。でも、念のため全体にさっと目を通して、大まかな内容を押さえた方が確実。
- 本番でも時間があるようだったら、そういうやり方の方が確実ですよね。英文の場合、基本的に最初の1文に言いたいことが書かれていることは知識として知っておくべきです。

25. 正解 (A)

accurate「正確な」がキーワード。Company Profile の3〜4行目に the company history includes all relevant information.、そして7〜8行目に Overall, we do not need to change this section. とあるので、(A) The corporate history に関する情報は正確であると予想できる。

184

- (B) The sales figures は本文中に出ていないね。
- (C) The job openings に関する情報は更新が遅れて古くなっていることが Recruitment の項で述べられています。
- そうだね。(D) The contact number も書かれていない。

26. 正解 (D)

推測できることを選ぶ問題。the customer feedback form に関しては Contact Information の段落に書かれている。1〜2行目に Despite the idea being rejected in a board meeting last year とあることから、昨年、役員会で議題に上がったと推測できる。よって (D) It was discussed in a board meeting last year. が正解。

- infer「推測する」が質問に入っているので、間接的にわかることを選ぶ問題ですね。
- そう、直接書いてないけど、本文の内容をもとに考えると、こういうことになるだろうという推測が必要。上の例だと being rejected「否決された」から、「否決されたということは、それに関する話し合いが持たれたんだな」と推測して、(D) It was discussed... に結びつける。
- 文章の内容をしっかり読んで把握する読解力が問われますよね。
- うん、このタイプの問題は難しめなものが多い。

27. 正解 (C)

ポジションの空きに関する質問なので、Recruitment と見出しのついた第2段落を見る。4〜6行目に the openings for the marketing manager positions, listed in the newspaper two weeks ago, have not been uploaded to the Web site. とあるので、(C) Marketing manager が正解。

- 2週間前に新聞に出した求人情報がホームページに出てないって、そういうことじゃだめだよね。
- 超アバウト（笑）。しっかりしろ。ってここで言っても仕方ないわけですが。

28. 正解 (A)

by the end of next week がキーワード。このフレーズはレポートの最後に出てくる。a thoroughly considered plan is needed by the end of next week. ということは、それまでにプランを作ることを意味するので、(A) A plan will be drafted. が正解。

- draftってよく使われる名詞ですよね。
- そう、「原稿」とか「草案」とかっていう意味でね。でも(A)では動詞で計画案を作るっていう意味で使われている。
- そして動詞の形としてはbe draftedという受動態になっていますね。

問題24〜28は次のレポートに関するものです。

このレポートは、我々のウェブサイトに関し、昨日行われた役員会の要約レポートです。

会社概要
ページデザインは魅力的で、お客様が情報を簡単に見つけられるようレイアウトされています。明瞭かつ簡潔に書かれている会社の歴史は関連情報をすべて含んでいます。創業から現在までをたどる社史のストーリーは興味深く、強く印象に残ります。全体として、この部分は変更の必要はありません。

採用情報
このページの情報は最新であるべきです。すでに空きがないにも関わらず、セキュリティ関連の4つのポジションが募集中として掲載されています。また、2週間前に新聞に掲載したマーケティング部長の募集情報がいまだにウェブサイトにアップされていません。こうした問題に迅速に対処するため、コミュニケーション部は、人事部と常に密に協力関係を保つ必要があります。

お問い合わせ情報
昨年の役員会で否決された案ですが、今は、この部分にお客様のご意見フォームを加えるべきではないかと感じます。このフォームがあれば、お客様のニーズがどこにあるかを知り、素早くそのニーズに対応することが可能となります。フォームの承認が取れ、サイトの一部となりましたら、すべてのご意見は、お客様サービス部長のシュウタロウ・イシノ (Ishino@arlco.tex.com) に直接送られることになります。

コミュニケーション部は、これらの課題を精査し、討議し、次のサイト更新プランをシュウタロウ・イシノと私宛に提出する予定です。我々が皆わかっている通り、お客様の多くが、ウェブサイトでわが社の第一印象を得ます。この点を念頭に置きつつ、吟味されたプランが来週末までに必要です。

エミリオ・ヘルナンデス
アルコ・テキサス株式会社
総務部

24. このレポートの目的は何ですか。

   (A) 新しいウェブサイトプランを提案する
   (B) ウェブサイトの修正を却下する
   (C) 会議の結果をレポートする
   (D) ウェブサイト更新の予算を申請する

25. レポートによると、ウェブサイト上では何の情報が正確ですか。

   (A) 会社の歴史
   (B) 販売数値
   (C) 求人
   (D) 問い合わせ番号

26. お客様問い合わせフォームについて何が推測できますか。

   (A) 販売部門の仕事量を減らす。
   (B) 会社のウェブサイトにつけ加えられた。
   (C) お客様サービス部長によって修正される。
   (D) 昨年、役員会で話し合われた。

パート7の文書をまねる

　読者の皆さんの中には仕事でメールや手紙のやり取りを英語でする必要がある方もいらっしゃるのではないでしょうか。TOEICのパート7では、ビジネス上のやり取りで交わされる典型的なメールや手紙が多く使われます。皆さんが実際そのような文書を作成するときに参考になると思います。どんどんまねして使ってみてください。

　ビジネス文書と言ってもいろいろなパターンがあり、タイプごとに文書の構成の仕方も異なります。

　例えば、直接会った人へのフォローアップの連絡や受け

27. レポートで、まだ空きがあると述べられているのはどのポジションですか。

(A) セキュリティ技術者
(B) お客様サービス担当
(C) マーケティング部長
(D) ウェブサイトデザイナー

28. 来週末までに何が起こりますか。

(A) プランが作成される。
(B) ウェブサイトが立ち上がる。
(C) 役員会が開催される。
(D) フォームが加えられる。

取ったメールや手紙に対する返信では、Thank you for...のようにお礼から始めることもあります。反対に、相手が自分のことを知らない場合、We are a consulting firm...のように簡単な自己紹介（上の例では自分の勤める会社の紹介）で切り出すこともあります。また、I'm writing to...や This letter is to...のように冒頭で文書の目的を明確に示すもの、We are very sorry...のように謝罪から始めるものなど、文書の目的や書いている相手によって書き出しはさまざまです。

同様に、話の発展のさせ方や文書の結び方もいろいろなパターンがあります。自分がビジネス文書を作成するとき役立つネタを仕入れるつもりでパート7の文書にあたると役立つヒントが得られるはずです。

Questions 29–33 refer to the following menu and review.

FISH TAIL FREDDY'S OCEAN GRILL

∾ *Crab Cakes Deluxe* $12.99
Two blue crab cakes with our special blend of herbs and spices served with a caper, carrot and mustard sauce

∾ *Prince Edward Mussels* $9.99
One pound of mussels sautéed in white wine, garlic and capers, and served with barbecued tomatoes

∾ *Smoked Salmon Penne* $8.99
Smoked salmon on a bed of penne, served with a roast garlic, brandy, tomato and herb sauce

∾ *Surf and Turf* $16.99
Tender medallions of beef alongside succulent Maine lobster, with fresh vegetables and garlic sauce

> All items are complemented with a choice of sautéed vegetables or steamed broccoli and cauliflower, and your choice of jasmine rice, brown rice, garlic mashed potatoes, baked potato or French fries.

Our Tasty Spring Specials

～ *Grilled Quesadillas* $10.69
Flour tortillas, cheddar cheese, scallions, chilies
and six types of peppers served with chicken and shrimp

～ *Cajun Calamari Salad* $6.89
Cajun coated calamari, tomatoes and julienne carrots
served with Dijon vinaigrette

～ *Grilled Grouper* $14.69
Served Naples style with a purée of black olives,
capers, garlic, parsley and cherry tomatoes

～ *Twin Lobster Tails* $16.99
Enjoy Maine's finest—Twin lobster tails brushed lightly
with garlic, barbecued and served with butter sauce

- For parties of eight or more, a 15% gratuity will be added to the bill.
- Please ask your waiter about Fish Tail Freddy's daily specials and famous cocktails.
- Check out our live performance, The Mermaid Dance (every Saturday evening from eight).

Restaurant Review 🍴

FISH TAIL FREDDY'S
THE NEW HOT SPOT TO DINE

A MAINE ORIGINAL, FISH TAIL Freddy's Ocean Grill is the place to dine for great food and a spectacular view of the coast. With a unique seafood menu and its ocean-themed décor, Freddy's owner and chef Fred McCabe boasts of using only the freshest products, creating a fabulous blend of seafood and global dishes with a Maine flare.

With over 100 items on the menu, choosing my supper was not easy, but thanks to Freddy's first-rate staff, I had the opportunity to sample several of Freddy's favorites. From stuffed crab Rangoon, brandy-basted swordfish and east coast crab cakes to salmon steak and Freddy's Bucket of Shrimp, this restaurant certainly has something for everyone. I recommend the Cajun calamari salad for starters followed by the spicy grilled trout. Or for those of you that like it really hot, try the jalapeño shrimp—too hot for me, but a popular choice at Freddy's according to staff.

And not only are some dishes on the menu hot. I had the opportunity to see the live show, featuring four dancers dressed in mermaid costumes and doing all sorts of incredible acrobatics on Freddy's stage.

The prices are reasonable, the atmosphere comfortable, and it's open every day for lunch and dinner, but if you go to Freddy's, make sure to have a reservation. The place is packed most nights and at lunchtime on weekends, and finding a parking spot is not easy. But once the car is parked, get ready for some great food at a fantastic restaurant.

29. What night did the reviewer go to the restaurant?

(A) Tuesday

(B) Friday

(C) Saturday

(D) Sunday

30. What is NOT served for free with Cajun Calamari Salad?

(A) Dijon vinaigrette

(B) Scrambled eggs

(C) Baked potato

(D) Sautéed vegetables

31. In the review, the word "packed" in paragraph 4, line 9, is closest in meaning to

(A) unavailable

(B) crowded

(C) wrapped

(D) engaged

32. How did the reviewer describe the restaurant staff?

   (A) Fast

   (B) Famous

   (C) Excellent

   (D) Unique

33. What was the reviewer NOT satisfied with at the restaurant?

   (A) The scenery

   (B) The prices

   (C) The dance show

   (D) The hot food

29. 正解 (C)

このレストラン評を書いた人 (reviewer) が訪れた曜日が問われているので、レストラン評を見る。しかし曜日を示す記述はない。答えを見つける手がかりは第3段2〜9行目の I had the opportunity to see the live show, featuring four dancers dressed in mermaid costumes... で、これがメニューの最終行の Check out our live performance, The Mermaid Dance (every Saturday evening from eight). に対応している。マーメイドダンスが行われるのは土曜日ということから、(C) が正解。

- この問題、難しいですよね。
- うん、メニューとレビュー、両方見ないと答えが出ないからね。
- ダブルパッセージでは、5問中1問両文参照型の問題が出ることが多いので要注意です。
- それにしても、「人魚の衣装に身を包んだ4人のダンサーがさまざまな素晴らしいアクロバットを繰り広げるライブショー」見てたら食事どころじゃないよね。

30. 正解 (B)

Cajun Calamari Salad をキーワードにメニューを検索すると、この料理の説明中に、served with Dijon vinaigrette とある。また、メニュー左下の網掛け部分に All items are complemented with a choice of sautéed vegetables...baked potato... とある。Scrambled eggs はないので、(B) が正解。

- 😅 メニューに見たことない単語がいっぱい出てきてあせるんですけど。
- 😀 アメリカのレストランのメニューだから当然だよね。TOEIC の問題は、専門用語の意味がわからなくても解けるから焦らないこと。
- 😎 さすがに、「Quesadillas はどんな食べ物か」みたいな問題は出ません。

31. 正解 (B)

レビューの第4段落9行目で packed は、The place is packed most nights and at lunchtime on weekends ... という文中で使われている。「混んでいる」という意味なので (B) crowded と同じ意味になる。

- 😎 packed は使い方によっては「容器に詰められた」という意味にもなりますよね。
- 😀 そうそう、packed lunch とかね。
- 😎 「同義語問題は文脈に合ったものが正解」の鉄則を忘れないように。ちなみに、「ランチパック」って食べ物が日本で人気ですが、「Packed Lunch」だと語呂が悪いから「Lunch Pack」にしたんでしょうね。

32. 正解 (C)

レビュー中からスタッフに関する記述を探す。第2段落4〜5行目に thanks to Freddy's first-rate staff とあることから、(C) が正解。

😀 これは、一種の語彙問題だね。

😊 はい、first-rate と Excellent が同じ意味だってことを知らないと解けません。

😀 こういう言い換え、TOEICでよく使われる。パート7だけじゃなくて、パート3や4でも。

😊 この Excellent は、fine や outstanding の同義語として問われたこともある重要語です。しっかり類義語や使用例を押さえておきましょう。

33. 正解 (D)

レストラン評論家が満足しなかったものが問われているので、レビューを見る。第2段落の終わりから5行目以下で ...try the jalapeño shrimp—too hot for me, but a popular choice at Freddy's according to staff. と述べていることから、ハラペニョシュリンプが辛すぎたことがわかる。これは (D) The hot food のように言い換えることができる。

> 本文中でははっきり I wasn't satisfied with... のような言い方はしていないので、「too hot for me → 辛すぎたから嫌い→満足しなかった」というような変換が必要ですね。

> そうそう、これも一種の言い換え表現。しかしハラペニョは辛いわな。

> 「ハラペニョだけに腹ペコだった」ってことですね。

> ん？

> あ、いえ、なんでもないです。

1回目	月	日	2回目	月	日	3回目	月	日
正解数　タイム　分　秒			正解数　タイム　分　秒			正解数　タイム　分　秒		

問題29〜33は次のメニューとレビューに関するものです。

フィッシュテイル・フレディーズ・オーシャングリル

クラブ・ケーキ・デラックス　　　　　　　　　　12.99ドル
ワタリガニのクラブ・ケーキ（2個）。ハーブとスパイスの特製仕立て。ケイパー、ニンジン、マスタードソースつき。

プリンス・エドワード・ムール　　　　　　　　　9.99ドル
ムール貝（1ポンド）の白ワイン、ガーリック、ケイパーいため。焼きトマト添え。

スモークサーモンのペンネ　　　　　　　　　　　8.99ドル
ペンネのスモークサーモン乗せ。ローストガーリック、ブランデー、トマトとハーブソース添え。

サーフ・アンド・ターフ　　　　　　　　　　　　16.99ドル
柔らかい牛フィレ肉とジューシーなメインロブスター。新鮮な野菜とガーリックソース添え。

　すべてのメニューで、野菜のソテーまたは蒸したブロッコリーとカリフラワーがつきます。そしてジャスミンライス、玄米、ガーリックマッシュポテト、ベークドポテト、フライドポテトの中から一品お選びいただけます。

春の味覚スペシャル

ケサディヤのグリル　　　　　　　　　　　　　　　10.69ドル
小麦粉のトルティーヤ、チェダーチーズ、青ネギ、赤トウガラシと6種類のピーマン。チキンとエビ添え。

ケージャン風カラマリサラダ　　　　　　　　　　　6.89ドル
ケージャン風味のイカフリット、トマト、にんじんの千切り。ディジョン風ビネグレットソースつき。

カサゴのグリル　　　　　　　　　　　　　　　　　14.69ドル
黒オリーブのピューレ、ケイパー、ガーリック、パセリ、プチトマトがついたナポリ風。

ツイン・ロブスター・テイル　　　　　　　　　　　16.99ドル
メイン州の最高級料理をお楽しみください―ロブスターテイル（2尾）のガーリック風味焼きバターソース添え。

- 8人以上の団体の場合、15％のチップが請求書に加算されます。
- フィッシュテイル・フレディーズの日替わりスペシャルと人気のカクテルについてはウエイターにご確認ください。
- マーメイドダンスのライブパフォーマンスもお楽しみください（毎週土曜夜8時より）。

フィッシュテイル・フレディーズ
新たなダイニングの人気スポット

メイン州生まれのフィッシュテイル・フレディーズ・オーシャングリルは、おいしい食べ物と海岸の美しい景色を味わえる場所だ。ユニークなシーフードメニューを持ち、海をイメージした内装を施したこのレストランでフレディーズのオーナー・シェフのフレッド・マケイブは、とれたての材料のみを使い、シーフードと多国籍料理をメイン風にうまくミックスしていると胸を張る。

100種類以上のメニューの中から、夕食を選ぶのは簡単ではなかったが、フレディーズの素晴らしいスタッフのおかげで、フレディーズの人気メニューをいくつか試食することができた。メニューはカニ詰め揚げワンタン、メカジキのブランデー焼き、東海岸風クラブ・ケーキからサーモンステーキ、フレディーズ特製エビの盛り合わせまで多岐にわたり、このレストランなら誰でも食べたいものが見つかるはずだ。私のおすすめは、前菜にケージャン・カラマリサラダ、続いてマスのスパイシー焼きだ。辛いもの好きなら、ハラペニョシュリンプを試してみてはいかがだろう。私には辛すぎたが、スタッフによるとフレディーズの人気メニューのひとつだそうだ。

そして、ホットなのは料理だけではない。人魚の衣装に身を包んだ4人のダンサーがフレディーズのステージでさまざまな素晴らしいアクロバットを繰り広げるライブショーも見ることができた。

価格も手ごろで、雰囲気も心地よい。毎日昼夜営業しているが、フレディーズに行かれる際は予約するのをお忘れなく。夜と週末のランチタイムはいつも満席で、車を停める場所を探すのも難しいが、いったん車を停めたら、素晴らしいレストランでのおいしい食事があなたを待っている。

29. レビュワーがレストランに行ったのは何曜日ですか。

(A) 火曜日
(B) 金曜日
(C) 土曜日
(D) 日曜日

30. ケージャン・カラマリサラダに無料でついてこないものは何ですか。

(A) ディジョン風ビネグレットソース
(B) スクランブルエッグ
(C) ベークドポテト
(D) 野菜のソテー

31. レビューの第4段落・9行目のpackedに最も近い意味の語は

(A) unavailable「手に入らない」
(B) crowded「混んでいる」
(C) wrapped「包まれている」
(D) engaged「予約済みの」

ニッチなTOEIC対策

　慣れないと意外に戸惑うのが、問題用紙を留めているシールの開封の仕方です。
　つい先日受けた公開試験でも、隣の受験者の方が、リスニングのディレクションが終わり、パート1の1問目が始まる直前まで、シールの開封に四苦八苦している姿が目に入り、「間に合うかなあ」と私まで緊張してしまったことがありました。手で必死にシールを破ろうとしていたのですが、うまくいかず、問題用紙がビリビリになっている様子でした。これではリズムが乱れてしまうので、できればスパッと開封した

32. レビュワーは、レストランのスタッフについて何と述べていますか。

    (A) 速い
    (B) 有名
    (C) 素晴らしい
    (D) ユニーク

33. レビュワーがレストランについて満足しなかったものは何ですか。

    (A) 景色
    (B) 値段
    (C) ダンスショー
    (D) 辛い食べ物

いところです。
　そこで、私がおすすめしたいのは、受験票のハガキを使ってシールを破る方法です。試験開始の合図と同時に、シールの内側（左斜め下）から受験票を差し込み、右上に向かって一気に切ると、たいていの場合はうまくシールが切れます。ただし、ハガキが濡れている等の理由で柔らかくなっていたりすると、うまくいきません。その場合はあきらめて、ハガキの代わりに人差し指を差し込んで同様の方法で切りましょう。シールがきれいに切れると、「よし。今日はいけるぞ」と根拠のない自信が湧いてきますので、スコアには無関係ですが、意外と大切な儀式ではと思います。

Questions 34–38 refer to the following advertisement and e-mail.

Aakarsh Online Furniture Catalogue

Having trouble finding the perfect espresso table, a desk with the shade of beige that's just right for your office, or an amber table to bring life to a dreary corner?

Your search is over. Aakarsh Furniture is your craft company for manufacturing Indian furniture, antique reproduction furniture, trunks, beds, armoires, cabinets and tables the way you want. And Aakarsh's online catalogue is the place where the design of your custom-made Indian furniture begins. With a few simple clicks, select from various shades, styles, woods and sizes, and even choose to view an image of your designed piece before placing an order. A range of elegant brass and iron fittings are also available to look at and select from.

Online or in our stores, we make quality for your comfort and distinctive taste. Because we understand that good sense combined with a timeless style is always in fashion, Aakarsh Furniture is confidently ready to serve all your furniture needs. To get started, click on any of the categories on this Web page.

Thank you for taking the time to visit Aakarsh Furniture's online catalogue. For more information, call our customer service at 555–238–4981. For large orders (more than 10 pcs.) please contact Aadi Nayar at: furniture@aakarsh.in
We guarantee a response to your inquiry within twenty-four hours.

To: Aadi Nayar
From: Emma McCormick
Subject: An Order
Date: August 8

Dear Mr. Nayar:

We are a consulting firm based in London and would like tables with matching chairs for our meeting rooms. We are interested in ordering your Classic Dakota Tables along with Taj Crown Chairs. But we would like some information on a few things before we decide to place an order. First, are the chairs and tables a good match? We are worried that the chairs may be too big for the tables. Also, after experimenting with your online catalogue and using the furniture design function, we did not see mahogany brown as a choice for the tables we want. Does this mean they are not made in this colour? Finally, because our office is moving to a new location at the end of October, we would like the tables and chairs in our hands at the new location just before we move there. Is this possible?

I will be away on holiday for ten days starting the day after tomorrow and will not be receiving e-mail while I'm away, though I would appreciate your sending us an estimate as soon as possible. My assistant Keith Phelps knows that I have contacted you so please send him an e-mail either this week or next at: phelps@barnabyconsulting.uk. He will be taking care of this matter during my absence.

Best Regards,

Emma McCormick
CEO
Barnaby Consulting, Ltd.

34. What is the purpose of the advertisement?

   (A) To promote a business

   (B) To recruit new employees

   (C) To seek sales agents

   (D) To publicize an exhibition

35. When will Emma McCormick most likely receive a response from Aakarsh Furniture?

   (A) Within one day

   (B) The day after tomorrow

   (C) While she is on vacation

   (D) After ten days

36. According to the e-mail, what is the company concerned about?

   (A) The size of the chairs

   (B) The length of the tables

   (C) The color of the chairs

   (D) The weight of the tables

37. What can Aakarsh Furniture customers NOT see on the Web site?

(A) A selection of wood types
(B) A range of brass fittings
(C) A list of shipping prices
(D) A furniture design function

38. What can be inferred about Emma McCormick?

(A) She wants to receive her order as soon as possible.
(B) She plans to purchase more than ten pieces of furniture.
(C) She is an executive member of a furniture retailer.
(D) She expects Aadi Nayar to contact her during her vacation.

34. 正解 (A)

　見出しの Aakarsh Online Furniture Catalogue や全体の内容から、この広告が家具の販売店が出している集客用のものであることがわかる。よって、(A) To promote a business が正解。

😀 広告といっても、ネット上に出てるものだね。

😑 はい、Onlineって書いてありますから。文書の種類を知るには英文の前にある「Questions 34–38 refer to the following advertisement」も手がかりになります。読み飛ばさないように。

😀 うん、文書の種類がわかっていた方が解きやすい場合もあるからね。

35. 正解 (A)

広告の最後に We guarantee a response to your inquiry within twenty-four hours. とあるので、1日以内に返事が来ると予想できる。よって、(A) が正解。

😊 ネットビジネスの会社はレスポンスの早さが命ですから、常識でも解けるかもしれません。

😀 ネットで何かを注文したり問い合わせたりすると、何らかの返事は普通すぐ返ってくるもんね。

36. 正解 (A)

concerned がキーワード。メールの第1段落8〜9行目の We are worried that the chairs may be too big for the tables. が対応している。よって、(A) が正解。

😀 質問の concerned が本文の worried に対応している。
😊 ええ、どちらも「心配する」っていう意味ですね。
😀 どちらも TOEIC 頻出。

37. 正解 (C)

(A) A selection of wood types と (B) A range of brass fittings は広告第2段落7〜14行目の With a few simple clicks, select from various shades, styles, woods … A range of elegant brass and iron fittings are also available が、(D) A furniture design function はメールの第1段落10〜11行目の your online catalogue and using the furniture design function, が対応している。(C) A list of shipping prices は述べられていないので、これが正解。

😎 NOT問題なので、解くのに時間がかかります。

😀 そうだね。それに (D) に対応する部分はメールの方に出てくるし。

😎 A furniture design function って、オンラインで家具のカスタマイズができる機能です。この手の機能では、「100億通りの靴が作れる」が売りのNIKEのサイトなんかが有名ですよね。

38. 正解 (B)

このメールは Emma McCormick が Aadi Nayar に送ったもの。また、広告の第4段落4〜6行目に、For large orders (more than 10 pcs.) please contact Aadi Nayar at: furniture@aakarsh.in とある。よって、Emma McCormick が10点以上家具を注文しようとしていることが伺える。よって、(B) が正解。

これは難しい。Emma McCormick のことが問われているので、彼女が書いたメールを見るのが普通だけど、それだけでは、答えが見つからない。「10点以上家具を注文する顧客は Aadi Nayar にメール → Emma McCormick が Aadi Nayar にメールしている → Emma McCormick は10点以上家具を注文しようとしている」と読み解かなければいけない。

実際に出題されたタイプのハイレベルな両文参照型の問題です。メールの日付が8月で家具の受け取りを希望しているのが10月、彼女が CEO を務めるのは家具の小売店ではなくコンサルティング会社、休暇中はアシスタントに連絡するよう依頼しているので他の3つの選択肢は不正解です。

1回目		月	日	2回目		月	日	3回目		月	日
正解数	タイム	分	秒	正解数	タイム	分	秒	正解数	タイム	分	秒

問題34～38は次の広告とメールに関するものです。

アーカシュ・オンライン家具カタログ

完璧なコーヒーテーブル、オフィスにぴったりのベージュがかった机、陰鬱な部屋の片隅を明るくする琥珀色のテーブル。見つけるのに困っていませんか？

もう探し回る必要はありません。アーカシュ家具は、インド製の家具、アンティークのリバイバル家具、トランク、ベッド、衣装だんす、キャビネット、テーブルを、お客様のお好みに合わせて作り上げる匠の会社です。アーカシュ・オンラインカタログで、あなただけのインド製家具のデザインを始めてみましょう。何度かクリックするだけで、さまざまな色、柄、木の種類、サイズをお選びいただき、ご注文の前にご自身でデザインした家具のイメージをご覧いただくこともできます。真ちゅうや鉄でできた優美な金具のラインナップもご覧いただいて、お選びいただくことができます。

オンラインでも実店舗でも、われわれは、快適でお客様それぞれの好みに合った高品質な品をご提供します。時代を越えたスタイルとセンスの良さが常に受け入れられることをわかっていますので、アーカシュ家具では、自信を持ってお客様のあらゆる家具のニーズにお応えできます。まずはこのページ上のカテゴリーのどれかひとつをクリックしてみてください。

アーカシュ家具のオンラインカタログをご訪問いただき、ありがとうございます。詳細につきましては、カスタマーサービス（555-238-4981）までお電話ください。大口のご注文（10個以上）につきましては、アーディ・ナヤール（furniture@aakarsh.in）宛にご連絡ください。お客様のお問い合わせには、必ず24時間以内にご返事いたします。

宛先：アーディ・ネイヤー
送信者：エマ・マコーミック
件名：注文
日付：8月8日

ネイヤー様

われわれは、ロンドンに本拠を置くコンサルティング会社です。会議室用に、机とそれに合った椅子を購入希望です。クラシック・ダコタ・テーブルと、タジ・クラウン・チェアを注文しようと考えていますが、注文を決める前に何点か教えていただきたいことがあります。まず、この机と椅子は合うでしょうか。椅子が机に対して大きすぎないか心配です。また、オンラインカタログで試しに家具のデザイン機能を使ってみたところ、われわれが欲しい机の色の選択肢として、マホガニー・ブラウンが見当たりません。この色では作られていないということでしょうか？最後に、われわれのオフィスは10月末に新しい場所に移るので、机と椅子は引っ越しの直前に欲しいのですが、可能でしょうか？なるべく早く見積もりをいただきたいのですが、私は明後日から10日間休暇を取るので、メールの受信ができなくなります。アシスタントのキース・フェルプスに、あなたに連絡したことは伝えてありますので、今週または来週彼に、phelps@

barnaby consulting.uk宛メールを送ってください。 彼が私の不在中この件を担当します。

敬具

エマ・マコーミック
最高経営責任者
バーナビー・コンサルティング株式会社

34. 広告の目的は何ですか。

    (A) 店の宣伝
    (B) 新しい社員の採用
    (C) 販売代理店の募集
    (D) 展示会の宣伝

35. エマ・マコーミックはアーカシュ家具からいつ返事を受け取ると思われますか。

    (A) １日以内
    (B) 明後日
    (C) 彼女の休暇中
    (D) １０日後

36. メールによると、会社は家具について何を心配していますか。

    (A) 椅子のサイズ
    (B) 机の長さ
    (C) 椅子の色
    (D) 机の重さ

37. アーカシュ家具の顧客がウェブサイト上で見つけられないものは何ですか。

    (A) 木の種類の選択肢
    (B) 真ちゅう製の金具の種類
    (C) 配送料のリスト
    (D) 家具のデザイン機能

38. エマ・マコーミックについてどんなことがわかりますか。

    (A) できるだけ早く注文の品を受け取りたい。
    (B) 10個以上の家具を買おうとしている。
    (C) 家具販売店の役員の1人である。
    (D) 休暇中にアーディ・ネイヤーから連絡が来ることを予期している。

スコアアップのための体調管理

　体調管理で最も大切なことは、前日に十分な睡眠を取ることです。徹夜で勉強などせず、しっかりと自分に合った睡眠時間を確保しましょう。
　私も経験がありますが、睡眠不足で頭がぼーっとした状態ではよいスコアは出ません。試験当日もぎりぎりまで寝るのではなく、朝は早めに起きて、軽めのリスニングやリーディングでウォームアップして、英語モードに頭を切り替えることも大切です。試験会場に向かう途中の電車やバスで、ぜひこの本をご活用ください。

Questions 39–43 refer to the following e-mail and information.

To: Kumiko Remy
From: Natalie Poliskova
Subject: The Vienna Conference
Date: April 27

Dear Kumiko:

Six months have passed since I left HERC Corp., but it feels as though I just left yesterday. How is everything going there in the research department? I hope all is well. As for me, I am used to my new work environment at Etcher Pharmaceuticals. The people I work with are very good at what they do, and I have learned a lot here.

I assume you will again be attending the medical conference in Vienna this June. I have a meeting to attend in Berlin on June 1 but will fly from there to Austria on June 2 for the conference's second day. I have not looked at the schedule yet but expect HERC will be doing a lecture again this year on malaria research. Will William Herbert or Aziza Rashid be speaking? If the HERC lecture is not on the first, I would be very happy to meet you beforehand for coffee or tea; afterward, we could go to the lecture together.

I look forward to hearing from you soon.

Natalie Poliskova

• The Vienna Conference on Malaria

ROOM	DESCRIPTION
Committee Room D (SID Centre)	Malaria & mosquitoes: Facing the challenges with scientific research
Committee Room B (SID Centre)	Feasibility of training traditional healers to treat malaria cases in tribal areas of northern India
Hall A (NAC Complex)	A novel LVR method for rapid diagnosis of the malaria parasite
Committee Room C (SID Centre)	New findings in malaria resistance in South America
Committee Room B (SID Centre)	Closing Address: The future of malaria treatment
Banquet Hall (NAC Complex)	The Herbert Feldman Dinner

All lectures require pre-registration except for the closing address, which is open to the public. For the dinner, reservations are required and can be made on the day, before 11:00 A.M.

Schedule for June 2

TIME	SPEAKER
10:00–12:00	Carmen W. Mendis Switzerland
12:30–14:00	Savaan Malhotra India
14:10–15:30	Kenichi Sakai Japan
15:40–16:30	William Herbert England
16:40–17:30	PK Joshi India
19:00–21:30	Various

39. Who is going to talk about a way to quickly diagnose malaria?

(A) Aziza Rashid

(B) Savaan Malhotra

(C) Kenichi Sakai

(D) William Herbert

40. Who is going to give a lecture for which registration is not required?

(A) Carmen W. Mendis

(B) Kumiko Remy

(C) William Herbert

(D) PK Joshi

41. What is NOT mentioned about Natalie Poliskova?

(A) She will speak at the conference.

(B) She flies from Berlin on June 2.

(C) She is accustomed to her new job.

(D) She used to work for HERC Corp.

42. In the e-mail, the word "assume" in paragraph 2, line 1, is closest in meaning to

(A) strive

(B) favor

(C) guess

(D) question

43. Where will Natalie Poliskova and Kumiko Remy attend a lecture together?

(A) Committee Room D (SID Centre)

(B) Committee Room B (SID Centre)

(C) Hall A (NAC Complex)

(D) Committee Room C (SID Centre)

39. 正解 (C)

quickly diagnose malaria がキーワード。スケジュール3番目の説明中の rapid diagnosis of the malaria parasite が対応している。この講義を行うのは (C) Kenichi Sakai であることが Speaker の欄からわかる。

- 😎 diagnose は動詞で diagnosis は名詞ですね。
- 🙂 うん、こういう言い換えもよく使われる。
- 😎 それから quickly（副詞）と rapid（形容詞）が対応しています。一見会議表のテーマが難しそうに見えますが、こうしたキーワードを拾うことで正解に近づけます。本番でも難しそうな表を見ただけであきらめないように。時間管理と粘りの両立が高得点につながります。

40. 正解 (D)

登録が必要でない講義を選ぶ。スケジュール表の下に All lectures require pre-registration except for the closing address, which is open to the public. とあるので、the closing address は事前登録が必要でないとわかる。これはスケジュールの5番目に掲載されており、講演者は (D) PK Joshi である。

- 🙂 まず、表の下の注意書きに注目し、the closing address を手がかりに再度検索をするという2つのステップを

要する問題。

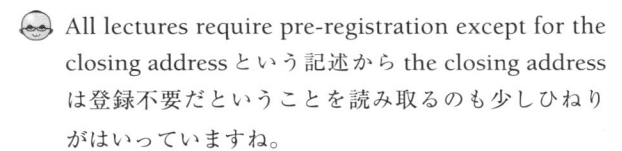

😎 All lectures require pre-registration except for the closing address という記述から the closing address は登録不要だということを読み取るのも少しひねりがはいっていますね。

🧑 ちょっと難しかったかもしれない。TOEICは「欄外フェチ」だからしっかり最後まで読まないと落とし穴にはまる場合がある。

41. 正解 (A)

Natalie Poliskova のことが問われているので、メールに注目する。(B) She flies from Berlin on June 2. は第2段落2〜5行目の I have a meeting to attend in Berlin on June 1 but will fly from there to Austria on June 2 for the conference's second day. が、(C) She is accustomed to her new job. は第1段落4〜6行目の I am used to my new work environment at Etcher Pharmaceuticals. が、(D) She used to work for HERC Corp. は第1段落1行目の Six months have passed since I left HERC Corp., が対応している。(A) She will speak at the conference. は述べられていないのでこれが正解。

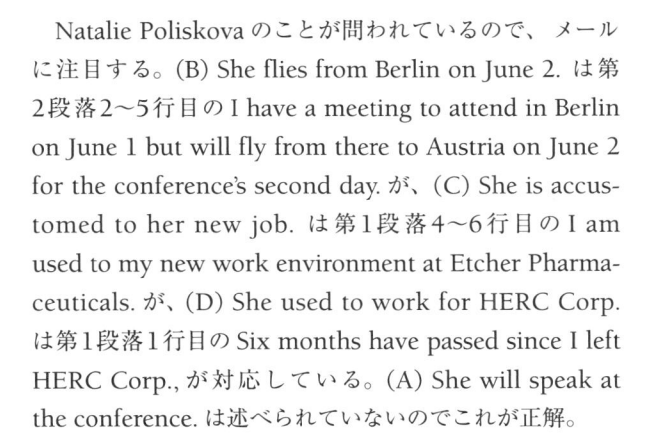

😎 彼女はベルリンからオーストリアに向かうんですね。

🧑 そう、ちなみに会議のある Vienna は Austria（オーストリア）の首都。日本語だとウィーン。

😎 日本では合唱団でも有名ですよね。あと、be used to～（～に慣れている）と used to ～（以前は～した）を混同しないように。違いをしっかり押さえておきましょう。

42. 正解 (C)

メールの第2段落1行目で assume は、I assume you will again be attending the medical conference in Vienna this June. という文中で使われている。選択肢中、意味が一番近いのは (C) guess である。

😀 ここでは guess の同義語だったけど、assume は他の意味もあるよね。

😎 はい、他に TOEIC で狙われるのは assume responsibility という使い方です。「引き受ける」という意味で accept や take の同義語になります。

43. 正解 (D)

メール中、Natalie Poliskova は Kumiko Remy に Will William Herbert or Aziza Rashid be speaking?（第2段落7～8行目）と尋ねていることから、William Herbert と Aziza Rashid は HERC に所属していることが伺える。その後、I would be very happy to meet you beforehand for coffee or tea; afterward, we could go to the lecture together.（第2段落9～11行目）と誘

っているので、彼らが一緒に出席する講義はWilliam HerbertかAziza Rashidによるものであると予想できる。スケジュールの4番目に、William Herbertの講義がCommittee Room C (SID Centre) であることが示されているので、(D) が正解。

- Natalie PoliskovaとKumiko Remyに関する質問なので、まずメールを見ます。でもメールの情報だけでは答えは決まりません。

- そう、メール中に答えの鍵となる大事な情報があるんだけど、それをスケジュール表の情報と関連づけないといけない。

- ダブルパッセージ特有の、「複数の文書間でちりばめられた情報を関連づける」スキルが問われるハイレベルの問題です。この問題が解ければちゃんと読めている証拠ですね。あ、正解してもヤマカンではだめですよ。「AだからB。BだからC」と順を追ってロジカルに読めれば上級者です。

問題39〜43は次のメールと案内に関するものです。

宛先：クミコ・レミー
送信者：ナタリー・ポリスコワ
件名：ウィーンでの会議
日付：4月27日

クミコ様

私がHERC社を離れて6カ月が経ちましたが、まるで昨日のことのようです。そちら調査部はいかがですか。すべて順調だといいのですが。私は、ここエッチャー製薬での新しい職場環境にも慣れました。職場の同僚は皆とても仕事ができて、ここに来てからたくさんのことを学びました。

今年6月のウィーンでの医学会議にまた参加されることと思います。私は、6月1日にベルリンでのミーティングに出席して、会議2日目に参加するため、6月2日にベルリンからオーストリアに飛びます。まだスケジュールを見ていないのですが、HERCは、今年もマラリアの研究についての講義をされることと思います。ウイリアム・ハーバートかアジザ・ラシッドは講話されますか。もし、HERCの講義が初日でなければ、講義の前にコーヒーか紅茶でも飲みつつお会いして、その後講義に一緒に出席できればとても嬉しいです。

ご連絡お待ちしています。

ナタリー・ポリスコワ

ウィーン・マラリア会議　　　　　　　　　６月２日のスケジュール

会場	内容	時間	講話者
会議室 D (SIDセンター)	マラリアと蚊：科学的調査で課題に取り組む	10:00-12:00	カーメン・W・メンディス スイス
会議室 B (SIDセンター)	インド北部未開地域において伝統療法師にマラリヤ治療法の研修を行うことの可能性	12:30-14:00	サバン・マルホトラ インド
ホール A (NACビル)	マラリア原虫の迅速な診断のための新しいLVR法	14:10-15:30	ケンイチ・サカイ 日本
会議室 C (SIDセンター)	南米におけるマラリア耐性の研究報告	15:40-16:30	ウイリアム・ハーバート 英国
会議室 B (SIDセンター)	閉会講演：マラリア治療の未来	16:40-17:30	ピーケー・ジョシ インド
パーティー会場 (NACビル)	ハーバート・フェルドマン・ディナー	19:00-21:30	多数

　一般公開される閉会講演以外のすべての講義には事前登録が必要です。ディナーには、予約が必要で、当日午前11時まで予約可能です。

39. 迅速にマラリアを診断する方法について話すのは誰ですか。

    (A) アジザ・ラシッド
    (B) サバン・マルホトラ
    (C) ケンイチ・サカイ
    (D) ウイリアム・ハーバート

40. 登録の必要がない講義の話者は誰ですか。

    (A) カーメン・W・メンディス
    (B) クミコ・レミー
    (C) ウイリアム・ハーバート
    (D) ピーケー・ジョシ

41. ナタリー・ポリスコワについて書かれていないことは何ですか。

    (A) 会議で話をする。
    (B) ベルリンを6月2日に飛行機で発つ。
    (C) 新しい仕事に慣れている。
    (D) かつてHERC社で働いていた。

42. メールの第2段落・1行目の assume に最も近い意味の語は

    (A) strive「努力する」
    (B) favor「好む」
    (C) guess「推測する」
    (D) question「質問する」

43. ナタリー・ポリスコワとクミコ・レミーが一緒に講義に参加する場所はどこですか。

    (A) 会議室 D（SID センター）
    (B) 会議室 B（SID センター）
    (C) ホール A（NAC ビル）
    (D) 会議室 C（SID センター）

Questions 44–48 refer to the following advertisement and letter.

Daffodil Museum Membership

Your support is appreciated

☞ What do members receive?

- Free admission to the museum for you and one accompanied guest (All memberships)
- 15% off all shop purchases (Family and Patron)
- *Times of the Winds* magazine (with the *Daffodil Newsletter*) sent each quarter (Individual, Family, and Patron)
- Invitations and free admission to special events at the museum (Patron)

☞ Where does membership money go?

All membership fees go into the general funds of the museum. As a not-for-profit organization, the museum gets most of its revenue through donations. However, funds need to be raised from admissions, shop sales and museum membership to help cover running costs.

👉 *How much does it cost annually?*

There are four levels of membership as follows.

        $20   Student / Senior Citizen
        $30   Individual
        $50   Family
      $250   Patron

If you become a Patron or make a large donation, and you are a taxpayer in the USA, you will be able to claim tax benefits (contact the museum for further information).

👉 *How are membership fees paid?*

Please send your fee via check or money order to:
Daffodil Museum Friends
c/o Dr. Martin J. Druthers
1206 Charleston St.
Austin, TX 72800
USA

January 17

Daffodil Museum Board of Trustees
c/o Dr. Martin J. Druthers
1206 Charleston St.
Austin, TX 72800, USA

Dear Dr. Druthers and the Daffodil Museum
Board of Trustees:

My wife and I came home on Wednesday,
January 12, opened a letter from the Daffodil
Museum, and were disappointed to discover
that we were being invited to the Daffodil
Museum Ball for a charge of $100 per plate.

We have both been annually paying $250 for
nearly four years, have regularly donated
money to the museum, and have never been
charged for the annual ball. However, what
surprised us more was the absence of an
explanation telling members why they are
being charged this year. I am certain that my
late grandfather, who donated large sums

to the museum after its founding, would be disappointed as well.

What's more, we have not received *Times of the Winds* for over half a year. And the last time I visited the museum, with two friends, we embarrassingly had to wait ten minutes at the admission counter while our membership numbers were being verified.

A museum must be a responsible member of the community. To promote activities and then not follow through with them is irresponsible. I expect a letter of apology including an explanation for why we are being charged for this year's ball.

Sincerely,

Taylor White

Taylor White

44. What is the purpose of the letter?

(A) To request a discount

(B) To cancel a membership

(C) To reject a donation

(D) To make a complaint

45. What type of membership does Taylor White have?

(A) Student/Senior Citizen

(B) Individual

(C) Family

(D) Patron

46. How many magazines did the museum neglect to send Taylor White?

(A) One

(B) Two

(C) Three

(D) Four

47. In the letter, the word "absence" in paragraph 2, line 5, is closest in meaning to

(A) abstract
(B) detail
(C) lack
(D) presence

48. In the letter, what is NOT indicated about Taylor White?

(A) He was invited to the annual ball for free last year.
(B) He received slow service during his last visit to the museum.
(C) He has been a museum member for almost four years.
(D) He has a grandfather who is also disappointed with the poor treatment.

44. 正解 (D)

手紙の目的が問われている。ダンスパーティーに料金が課されていること、説明がないこと、ニュースレターが届いてないこと等、不満を並べて、最後に謝罪の手紙を求めていることから、苦情を呈するのが目的であるといえる。

- 手紙やメールの目的は、大概前半部分を見ればわかるんだけど、この問題は全体を見る必要がある。
- まあでも、冒頭で were disappointed to discover that と言っているので、最初の1文で「クレームレターだな」とあたりをつけて読み進めたいところです。

45. 正解 (D)

手紙の第2段落1行目の We have both been annually paying $250 から、テイラー夫妻はともに250ドル払っていることがわかる。また、広告の年間会員費の項に $250 Patron とあるので、年間250ドル払っているテイラーさんのメンバーシップは Patron であることがわかる。

- 2つの文書の情報を関連づけて解く問題です。
- そう、でも数字をキーにして探せば解けるので、割と答えが見つけやすい。

46. 正解 (B)

手紙の第3段落1〜2行目の we have not received *Times of the Winds* for over half a year. とある。また、広告の What do members receive? の第3項目に *Times of the Winds* magazine (with the *Daffodil Newsletter*) sent each quarter とある。四半期ごとに出る雑誌が半年届いていないということは、2号が抜けたことになる。

😀 これもまた、2つの文書の情報を関連づけて解く問題だね。

😑 こっちの方が難しくないですか。

😀 そうだね、ちょっと計算もしなきゃいけないし。ちなみにTOEICでは複雑な計算をさせる問題は出ないから、考えすぎないように。

47. 正解 (C)

手紙の第2段落5行目で absence は、However, what surprised us more was the absence of an explanation という文中に出てくる。absence of an explanation で「説明がないこと」という意味なので、(C) lack の同義語になる。

😑 absence は「欠席、不在」という意味にもなりますよね。

😀 そう。形容詞の absent とともに TOEIC 頻出。

48. 正解 (D)

手紙の第2段落7〜10行目に I am certain that my late grandfather, who donated large sums to the museum after its founding, would be disappointed as well. とある。my late grandfather と言っていることから、彼の祖父は故人であることがわかる。よって (D) He has a grandfather who is also disappointed with the poor treatment. と食い違う。

- He has a grandfatherって言ったら、おじいさんがまだ生きていることになるからね。
- 手紙中の would be disappointed は仮定法ですね。「もし生きていたら」というのが暗に示されています。現実と反することを述べる場合に使われる形です。
- 「おじいさんがゾンビとしてよみがえったかもしれない」なんてへ理屈言ってもだめ。

1回目	月	日	2回目	月	日	3回目	月	日
正解数 タイム 分 秒			正解数 タイム 分 秒			正解数 タイム 分 秒		

問題44〜48は次の広告と手紙に関するものです。

ダッフォディル博物館会員
皆さまのサポートに感謝いたします。

会員特典は？
―ご本人と同行1名様が博物館に入館無料（すべての会員）
―売店でのお買い物がすべて15％引き（家族・特別会員）
―季刊雑誌『タイムズ・オブ・ウィンズ』（ダッフォディル・ニュースレターつき）（個人・家族・特別会員）
―博物館でのスペシャルイベントへのご招待と無料参加（特別会員）

会費の使い道は？
すべての会費は博物館の一般会計に加算されます。非営利団体ですから、博物館の収入のほとんどは寄付です。しかしながら、運営費を賄うため、入場料や売店の売上、会費による資金調達が必要です。

会費は年間いくら？
次の4つの会員レベルがあります。
20ドル　　学生／シニア市民会員
30ドル　　個人会員
50ドル　　家族会員
250ドル　特別会員
特別会員、または、寄付の額が多い方で、米国での納税者の方は、税の控除が受けられます（詳細は博物館にご連絡ください）。

会費のお支払い方法は？
小切手または郵便為替を下記にお送りください。
ダッフォディル博物館友の会
マーチン・J・ドルーザー博士宛
1206 チャールストン・ストリート
オースチン テキサス州72800
米国

1月17日

ダッフォディル博物館評議会
マーチン・J・ドルザー博士
1206 チャールストン・ストリート
オースチン テキサス州72800、米国

ドルザー様並びに
ダッフォディル博物館評議員の皆様

去る1月12日水曜日、私と妻は帰宅後、ダッフォディル博物館から届いた郵便を開封し、失望しました。ダッフォディル博物館のダンスパーティーへ、1人100ドルの料金で招待されたことがわかったからです。

4年間近く、われわれ夫婦はそれぞれ毎年250ドルずつを払い、博物館へ定期的な寄付も行ってきましたし、年次ダンスパーティーで料金を請求されたことは一度もありません。しかし、なぜ今年は有料なのかの説明が会員にないことにもっと驚いています。博物館の創立時に多額の寄付を行った私の亡き祖父も、きっとがっかりすることでしょう。

それに、もう半年以上『タイムズ・オブ・ウィンズ』を受け取っていませんし、前回博物館を友人二人と訪れた際、受付カウンターで、会員番号の認証で10分も待たされて恥ずかしい思いをしました。

博物館は地域社会の一員として責任を任うべきです。活動を宣伝をしておきながらそれを実行しないというのは無責任です。今年のダンスパーティーがなぜ有料なのかの説明を含む謝罪の手紙をお待ちしております。

敬具

テイラー・ホワイト

44. 手紙の目的は何ですか。

    (A) 割引のリクエスト
    (B) 会員からの退会
    (C) 寄付の拒絶
    (D) 苦情の申し立て

45. テイラー・ホワイトはどの会員ですか。

    (A) 学生／シニア市民会員
    (B) 個人会員
    (C) 家族会員
    (D) 特別会員

46. 博物館がテイラー・ホワイトに送りそびれた雑誌は何冊ですか。

    (A) 1冊
    (B) 2冊
    (C) 3冊
    (D) 4冊

47. 手紙の第2段落・5行目の absence に最も近い意味の語は

    (A) abstract「要約」
    (B) detail「詳細」
    (C) lack「欠如」
    (D) presence「存在」

48. 手紙で、テイラー・ホワイトについて述べられていないことは何ですか。

    (A) 昨年無料で年次ダンスパーティーに招待された。
    (B) 前回の博物館訪問時にもたついたサービスを受けた。
    (C) 4年近く博物館の会員である。
    (D) サポートの悪さに同じく落胆している祖父がいる。

著者紹介

神崎正哉 (かんざき・まさや)

1967年神奈川県生まれ。神田外語大学講師。東京水産大学 (現東京海洋大学) 海洋環境工学科卒。テンプル大学大学院修士課程修了 (英語教授法)。TOEIC® テスト12回連続990点。英検1級、国連英検特A級、ケンブリッジ英検など英語の資格多数。著書に『新 TOEIC® TEST 出る順で学ぶボキャブラリー990』(講談社)、『神崎正哉の新 TOEIC® TEST ぜったい英単語』(IBC パブリッシング)、共著書に『新 TOEIC® TEST 読解特急2』『新 TOEIC® TEST 読解特急3』(小社)、『新 TOEIC® TEST「正解」一直線』(IBC パブリッシング) など多数ある。
TOEIC Blitz Blog:http://toeicblog.blog22.fc2.com/

TEX 加藤 (テックス・かとう)

1967年大阪府生まれ。神戸市外国語大学外国語学部英米学科卒。大手メーカーの米軍基地担当営業、外資系小売業でのバイヤーを経て、大手玩具メーカーの商品企画に携わり数々のヒット商品を生み出す。現在、明海大学、神田外語学院、エッセンス イングリッシュ スクール講師。2010、2011年の TOEIC® 公開テスト・IP テストで17回990点 (平均989点) を達成。12回連続990点。英検1級。共著に『新 TOEIC® TEST 読解特急2』『新 TOEIC® TEST 読解特急3』『新 TOEIC® TEST 入門特急 とれる600点』(以上、小社) など多数ある。
TOEIC オタクのブログ：
http://texkatotoeic422.blog33.fc2.com/

Daniel Warriner (ダニエル・ワーリナ)

1974年カナダ、ナイアガラフォールズ生まれ。ブロック大学英文学科卒。1988年来日。北海道大学、都内の英語学校で TOEIC® テスト対策、英会話を教える傍ら、講師トレーニングおよび教材開発に携わる。現在、英文校正者として翻訳会社に勤務。共著書に『1駅1題 新 TOEIC® TEST 読解特急』(小社)、『新 TOEIC® TEST「正解」一直線』(IBC パブリッシング)、『TOEIC® TEST 神崎式200点アップ術 (上)』『同 (下)』(以上、語研)『新 TOEIC® テスト速読速解7つのルール』(朝日出版社)、『スティーブ、今夜スシバーにご案内しましょう』(実務教育出版) など多数ある。

1駅1題
新 TOEIC® TEST 読解特急

2009年10月30日　第 1 刷発行
2014年 8 月30日　第13刷発行

著　者	神崎 正哉 TEX 加藤 Daniel Warriner
発行者	小島 清
装　丁	川原田 良一
本文デザイン	コントヨコ
イラスト	cawa-j☆かわじ
印刷所	大日本印刷株式会社
発行所	朝日新聞出版

〒104-8011　東京都中央区築地5-3-2
電話 03-5541-8814（編集）　03-5540-7793（販売）
© 2009 Masaya Kanzaki, TEX Kato, Daniel Warriner
Published in Japan by Asahi Shimbun Publications Inc.
ISBN 978-4-02-330459-8
定価はカバーに表示してあります。
落丁・乱丁の場合は弊社業務部（電話03-5540-7800）へご連絡ください。
送料弊社負担にてお取り替えいたします。